D1482998

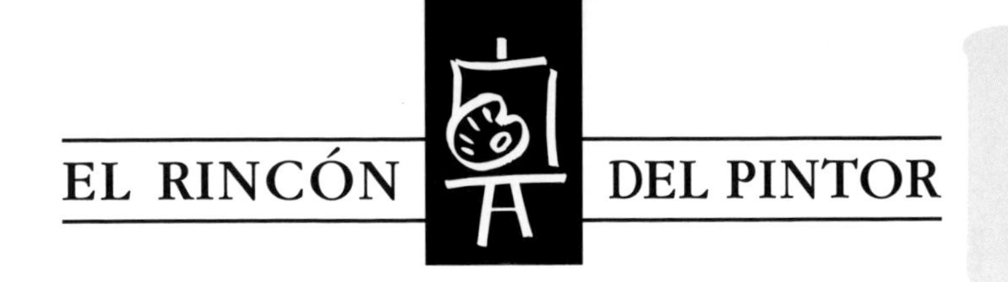

DIBUJO

STAEDTLER MARS LUMOGRAPH 100
6B
GERMANY
FIN

DIBUJO

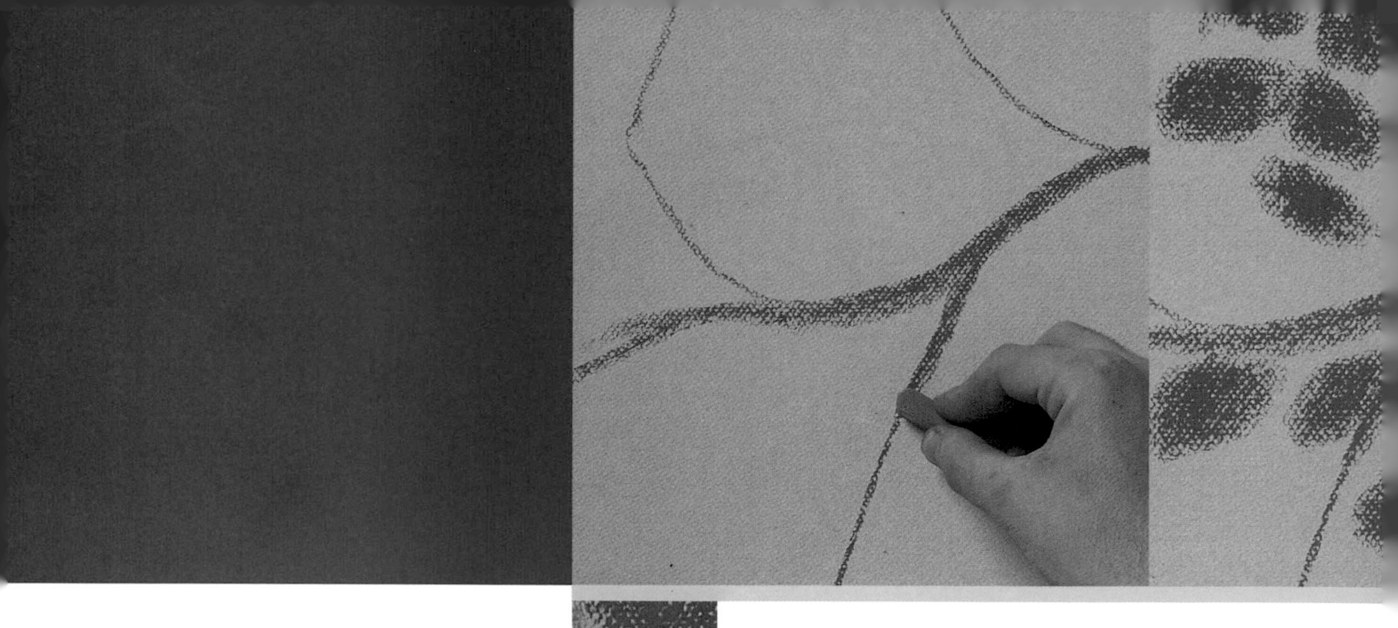

El Rincón del Pintor. Dibujo

Dirección editorial: *María Fernanda Canal*

Textos y coordinación: *David Sanmiguel*

Realización de los ejercicios: *David Sanmiguel*

Diseño de la colección: *Josep Guasch*

Maquetación y compaginación:
Josep Guasch

Fotografías: *Nos & Soto*

Ilustraciones: *Josep Torres y Vicenç B. Ballestar*

Archivo ilustración: *Mª Carmen Ramos*

2ª edición: diciembre 2000

Gran Via de les Corts Catalanes, 322-324
08004 Barcelona (España)

Dirección de producción: *Rafael Marfil*

ISBN: 84-342-2250-7
Depósito legal: B-43.122-2000
Impreso en España

Agradecimientos

*Parramón Ediciones S.A. quiere manifestar
su agradecimiento a la tienda de material artístico
Casa Piera y a las siguientes
firmas por su amable cesión
de utensilios de dibujo:
Papeles Guarro Casas,
Faber-Castell,
Gigandet.*

Sumario

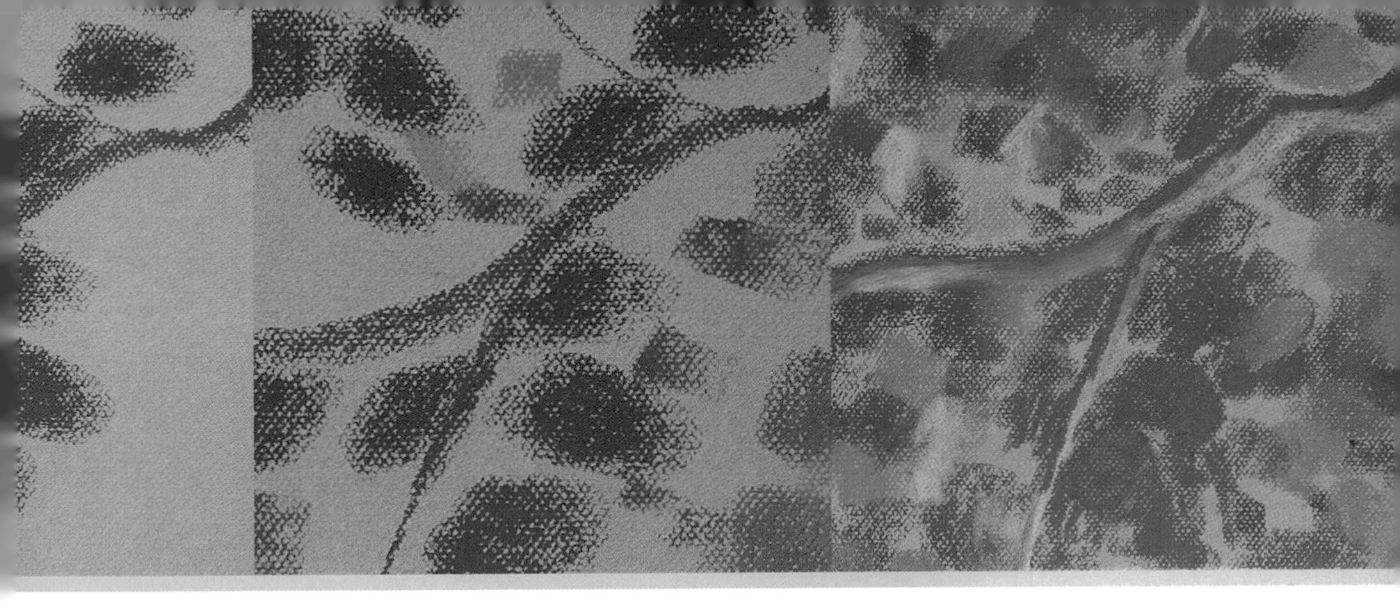

Presentación

Como todo el mundo sabe, el dibujo es el fundamento de cualquier trabajo artístico. Pero, sobre todo, es una actividad enormemente satisfactoria que no requiere grandes equipamientos, ni mucho espacio, ni tampoco un gran desembolso económico. Lo único que pide es un poco de tiempo: una cierta dedicación que enseguida desemboca en resultados interesantes si se toma el camino adecuado. Este libro le muestra ese camino de una forma ágil, amena y directa.

En las páginas iniciales de esta obra encontrará una completa introducción a los materiales de dibujo: lápices, carboncillo, cretas, pasteles, papeles, gomas de borrar y todo el material auxiliar necesario, con explicaciones precisas sobre su utilización. No faltan las sugerencias acerca de la distribución y organización del espacio de trabajo, los trucos y pequeños secretos del profesional y los consejos prácticos para que se ahorre complicaciones innecesarias.

La parte central del libro está dedicada a las grandes cuestiones del dibujo como son la representación de la luz y la sombra, el claroscuro, la perspectiva, el encajado, y, en definitiva, todas las técnicas que constituyen la esencia de este arte. Es preciso subrayar que no necesita ninguna experiencia o conocimiento previo acerca de estas técnicas: todos estos contenidos se hallan explicados de forma sencilla y amena, profusamente ilustrados y expuestos de manera ordenada para que no tenga ninguna dificultad para avanzar en su aprendizaje.

Poco a poco, casi imperceptiblemente, irá dominando los entresijos y los recursos del dibujante profesional, sobre todo si se anima a realizar las obras que aparecen desarrolladas paso a paso en la sección final. Estos ejemplos están explicados en forma de secuencia para que pueda ver cómo se resuelven los distintos aspectos de la obra en cada fase del trabajo; estas secuencias visuales, con los comentarios, sugerencias y consejos que las acompañan, son la mejor pedagogía que un libro puede ofrecer.

El dibujo puede ser un paso previo para la pintura pero, sobre todo, constituye un fin en sí mismo, una actividad que nos revela el encanto, la armonía y la belleza de las formas reales y una de las raras oportunidades de ser creativo y personal en un mundo cada día más convencional.

A solas con el material

El material de dibujo está compuesto por utensilios muy sencillos, algunos tan populares como el lápiz, que se puede encontrar en diferentes calidades. Es aconsejable emplear materiales de buena calidad desde el principio y adquirir los hábitos necesarios para sacar todo el partido al poco o mucho tiempo que podamos dedicar a nuestra actividad artística.

Para dibujar sólo son necesarias tres cosas: un lápiz, un papel y ganas de dibujar. Seguro que no le faltan deseos de ponerse manos a la obra y probablemente dispone de un lápiz y de una hoja de papel. Pero es muy posible que ni ese lápiz ni ese papel sean los adecuados: que el lápiz sea demasiado duro y el papel muy fino, que los trazos no tengan la suficiente intensidad y que cuando intente borrarlos, la hoja se arrugue o incluso se rompa. Hay una opinión muy extendida, según la cual a los principiantes les basta cualquier material, incluso el de baja calidad, para aprender; esto es un error, los principiantes, más que nadie, deben trabajar con utensilios de calidad. Si a las dificultades lógicas de todo aprendizaje se suman los inconvenientes de unos instrumentos inadecuados, lo más normal es que el proceso parezca mucho más difícil de lo que en realidad es.

A las dificultades del aprendizaje no hay que sumarles el inconveniente de unos instrumentos inadecuados.

El repaso de materiales de dibujo que sigue a continuación no es exhaustivo; en él podrá encontrar lo básico: los lápices de grafito y de color, el carboncillo, los lápices carbón y los papeles de dibujo. A medida que avance en este libro, se presentarán otros utensilios complementarios. A este repaso, se añaden consejos e indicaciones sobre cómo organizar el lugar de trabajo y los hábitos que conviene adquirir. Siempre nos parece poco el tiempo disponible para dibujar; por eso, merece la pena aprovecharlo bien, sin tener que ir buscando los materiales por los rincones, por no recordar dónde los dejamos la última vez. Es muy importante tener un espacio, por pequeño que sea, exclusivamente dedicado a dibujar; en él guardaremos nuestro material, nuestras carpetas, y todos aquellos dibujos enmarcados y recortes de imágenes que puedan servirnos de inspiración o de modelo.

El conocimiento de las características de los materiales de dibujo es fundamental antes de iniciar cualquier práctica. Cada utensilio rinde ciertos resultados y posee unas particularidades inimitables por cualquier otro medio.

Los lápices blandos son los más aconsejables para dibujar; su trazo es intenso y facilitan los sombreados. Una buena selección de lápices debe incluir, al menos, 3 lápices blandos, y también un lápiz de dureza intermedia, que puede ser el HB.

Lápices de grafito y otros utensilios afines

Es obvio que usted conoce los lápices y sabe que su trazo es de un color gris oscuro. Lo que quizá no sepa es que ese trazo varía según la dureza de la mina, que está fabricada de un mineral llamado grafito. Esta dureza nos permite alternarlos para conseguir sombras más claras o más intensas en un mismo dibujo. La dureza del lápiz viene indicada por un número y una letra grabados en el costado. Los lápices grabados con la letra H son los de mina dura y trazo suave y los lápices con la indicación B son los de mina blanda y trazo intenso. El número que acompaña a la letra indica el grado de dureza o blandura (tanto mayor, en ambos casos, cuanto más alta sea la cifra): a la izquierda pueden verse los trazos de los lápices más indicados para el dibujo artístico, esto es, los blandos y los de dureza intermedia. Una selección de lápices puede ser ésta: 5B, 3B, B y HB. En la ilustración inferior puede verse el surtido de material básico y complementario para el dibujo a lápiz.

Todos estos materiales están relacionados con el dibujo a grafito. Aparte de los lápices, destacan las barras de grafito puro, las minas para portaminas y los afilalápices.

UTENSILIOS PARA EL DIBUJO A LÁPIZ

1. Ésta es una barra de grafito sin funda de madera que puede afilarse igual que un lápiz.
2 y 3. Lápices de calidad escolar, adecuados para la mayoría de dibujos. Este afilalápices acepta dos calibres distintos de lápiz.
4 y 5. Portaminas de diferente calibre. Las minas se venden sueltas.
6. Mina gruesa para portaminas.
7, 8, 9 y 10. Lápices de calidad profesional.
11. Barra de grafito para dibujos de gran tamaño.
12. Afilalápices de papel de vidrio.
13. Goma de borrar escolar. Tiene el inconveniente de soltar mucha borra.
14. Portaminas para barras de sección cuadrada.
15. Goma de caucho especial para grafito.
16. Barra plana de grafito para sombreados amplios.

A la izquierda pueden verse barritas de carboncillo de distintos grosores: los tamaños intermedios son los más aconsejables. Abajo, tres lápices de carbón de distinta dureza, que producen un trazo más o menos oscuro; los más blandos son los más utilizados.

El carbón y sus derivados

El carboncillo es el más simple y antiguo de los medios de dibujo. Como puede comprobarse en la ilustración, los carboncillos son barritas irregulares de distinto grosor; la irregularidad se debe a su naturaleza vegetal, pues se trata de ramas de sauce carbonizadas. Es aconsejable utilizar tamaños intermedios, dado que las barritas más delgadas se rompen y desmenuzan con suma facilidad. A partir de esta materia prima, los fabricantes sirven lápices de carbón con mezcla de arcilla, de trazo más estable y también más intenso que el carboncillo natural. El carboncillo es de uso directo y se utiliza tanto para dibujos propiamente dichos como para bocetos preparatorios de pinturas.

GRAFITO Y CARBÓN

La diferencia básica entre el grafito y el carbón radica en que éste es una sustancia seca, mientras que el grafito es graso. Por esta razón, el carbón no se adhiere a la superficie del papel con tanta firmeza. Este inconveniente queda compensado por la facilidad con que se extiende el carboncillo sobre el papel, realizando todo tipo de sombreados y difuminados.

LÁPICES DE COLOR DUROS Y BLANDOS

También entre los lápices de colores existen unas versiones más duras que otras. En general, los lápices de mina blanda son los mejores, ya que tienen mayor cantidad de pigmento y su trazo es más cubriente. Los lápices duros suelen ser de calidad escolar, su color no es tan intenso y la dureza de la mina deja surcos en el papel. Estos surcos se hacen visibles cuando se pinta sobre ellos y pueden afear el resultado final.

Los lápices de colores

Estos lápices están compuestos de pigmentos aglutinados con arcilla y ceras. Existen muchísimas variedades y cada marca sirve distintos surtidos de colores, que pueden abarcar una gama de 150 tonos diferentes. La razón de esta abundancia es que los colores no se pueden mezclar fácilmente y siempre es mejor aplicar el tono preciso de modo directo. No obstante, una selección de unos 20 o 25 colores es suficiente para la mayoría de dibujos. Estos surtidos se pueden comprar en estuches o bien por separado.

Estuche de lápices de colores de calidad superior. Ésta es una de las gamas más extensas de lápices de colores disponibles en el mercado. Tener muchos colores evita las mezclas, cosa no demasiado fácil cuando se trabaja con lápices de colores.

El papel de dibujo

La apariencia final del dibujo depende en gran medida del papel utilizado. Un buen papel siempre realza los trazos, da textura a los sombreados y asegura la permanencia del dibujo. El papel más indicado para dibujo a lápiz debe ser liso o de poco grano, para que los sombreados queden tupidos. El papel para dibujar a carboncillo, por el contrario, debe tener grano para que el polvillo de carbón quede depositado en las rugosidades; el más utilizado es el tipo Ingres. En las ilustraciones de esta página se indican cuáles son los tipos de papel más adecuados para cada técnica. El papel de dibujo debe tener cuerpo, pero conviene evitar los papeles demasiado finos, porque no soportan bien los borrados frecuentes y se arrugan y deterioran con más facilidad. Los fabricantes más importantes sirven papeles de dibujo tanto en blocs como en hojas sueltas. Las grandes marcas graban su nombre en cada hoja con una marca al agua (llamada así porque se hace mientras el papel es todavía pulpa) visible al trasluz.

Los blocs de dibujo permiten mantener los trabajos juntos y en buenas condiciones. Además, los blocs rígidos pueden hacer las veces de soporte cuando se sale a dibujar. El tamaño del papel no debería ser inferior a 30 cm en su lado más largo.

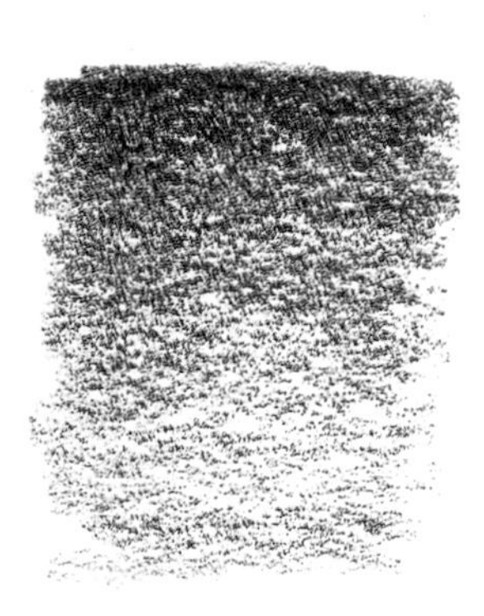

Textura de un papel tipo Basik. Es un papel con cuerpo, resistente y que da un acabado más que aceptable en la mayoría de estilos de dibujo. Se trata de un soporte universal para todo tipo de técnicas de dibujo.

Papel Canson para croquis. Como su nombre indica, es un papel muy adecuado para bocetos y apuntes del natural. Empleado en trabajos más elaborados, resulta demasiado fino y con un grano de escaso interés para el dibujo al carboncillo.

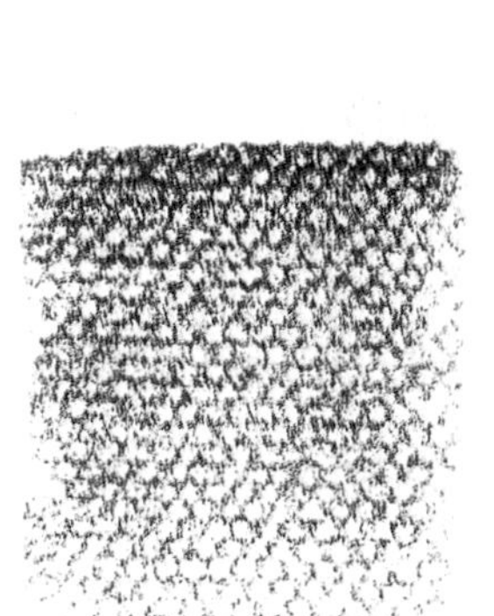

Ésta es la textura típica del papel Canson tipo Mi-Teintes, un papel muy utilizado en dibujos al carbón y al pastel. Es un papel que tiene muchas aplicaciones y que se vende en una amplia gama de colores. Para trabajos al carboncillo, los tonos crema, ocre y gris realzan las tonalidades típicas de este medio de dibujo.

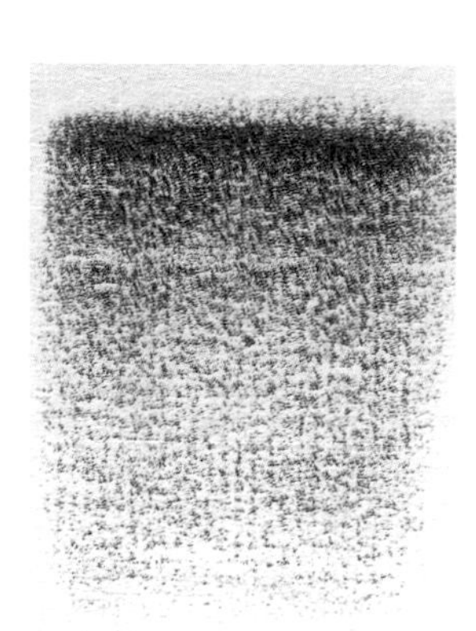

Textura del papel tipo Ingres. Éste es el papel más utilizado en el dibujo al carboncillo. Aunque es bastante fino, da unos excelentes resultados tanto en la toma de apuntes como en los dibujos más elaborados en esta técnica.

Éstas son dos marcas al agua de papeles de calidad. Estas marcas son una garantía del fabricante acerca de la correcta elaboración del papel.

Los blocs de pequeño tamaño, que pueden caber perfectamente en un bolsillo de la chaqueta, deben ser compañeros inseparables en nuestras salidas al campo o en los paseos por la ciudad. El bloc y un lápiz o una barrita de sanguina son todo el material que se necesita para tomar apuntes rápidos del natural.

El papel de color

A veces, el blanco inmaculado del papel resulta un poco frío y aséptico para el dibujo artístico, sobre todo cuando los trazos son de color negro intenso. Este efecto se puede evitar utilizando papeles de color. En las tiendas de material artístico se pueden encontrar amplias gamas de papel de color que van desde el color crema hasta los azules oscuros, pasando por todas las tonalidades imaginables. Pero lo normal en la mayoría de las técnicas es emplear tonos suaves, como el ocre claro, el siena pálido, los grises verdosos o azulados o el citado crema. Además de suavizar los contrastes, los papeles de colores permiten utilizar la creta blanca para realzar los brillos y las luces. La elección del color depende del tema: para las figuras humanas son aconsejables los tonos cálidos, para los paisajes resultan más adecuados los colores grises o verdosos, etcétera.

PAPEL ECONÓMICO
PARA BOCETOS Y PRUEBAS

Los papeles especiales para dibujo artístico de gran calidad son algo caros. Cuando tengamos que experimentar efectos o simplemente abocetar y ensayar formas y trazos, es mejor emplear papeles menos sofisticados, pues dan un resultado lo suficientemente bueno.
Entre todas las posibilidades hay que destacar la que ofrece el papel de embalar (llamado también papel kraft); se vende en rollos y permite dibujar grandes formatos con casi todo tipo de técnicas. Es un papel tradicionalmente de color marrón, pero en la actualidad se fabrica también en tonos azules, verdes y rojos.

A la izquierda se reproduce la gama completa de los papeles de color Canson Mi-Teintes. De entre todos los colores, es conveniente elegir los más claros cuando se dibuja con las técnicas tradicionales.

Un rollo de papel de embalar es muy económico y dura mucho. Se puede ir cortando a pedazos de distinto tamaño para dibujar estudios, bocetos o realizar pruebas previas a un dibujo definitivo.

El fijado del dibujo y los borrados

El gran problema de los dibujos es su conservación. El papel se decolora si se halla expuesto al sol, el carboncillo se desprende del papel con el tiempo, las hojas de dibujo son frágiles, etc. Pero todo tiene remedio si se toman algunas precauciones, como fijar siempre el dibujo una vez acabado, guardar los dibujos en carpetas si no han de ser enmarcados o protegerlos de la luz directa del sol y de la humedad. El fijado debe hacerse sosteniendo el papel en vertical y rociando el fijador desde una distancia de unos 30 cm; las aplicaciones han de ser muy leves, hay que dejarlas secar y repetir la operación hasta que los trazos no manchen al tocarlos. Otro aspecto importante que conviene considerar son los borrados: el lápiz de grafito se borra con goma de caucho, pero el carboncillo exige una goma especial, la goma maleable, mucho más blanda y absorbente. Un trapo de algodón limpio también es útil para eliminar el exceso de polvillo de carbón.

El fijador debe aplicarse a unos 30 cm del papel, sosteniendo éste en vertical. Los rociados deben ser suaves y repetidos.

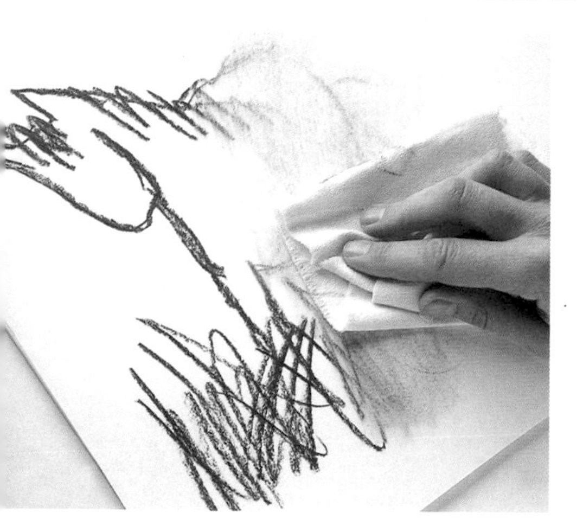

Antes de un borrado en profundidad, se elimina el exceso de carboncillo con un trapo limpio de algodón.

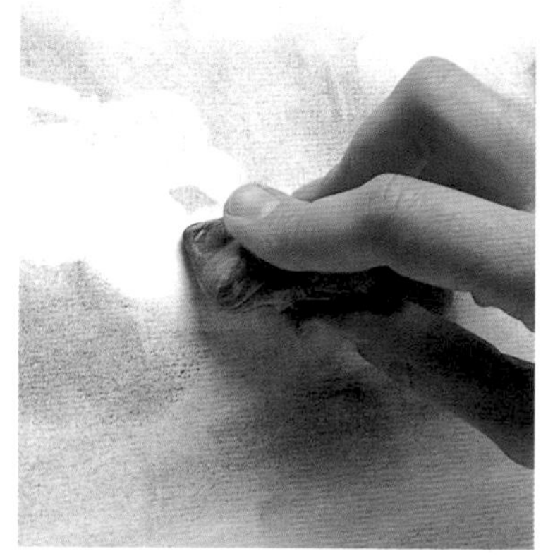

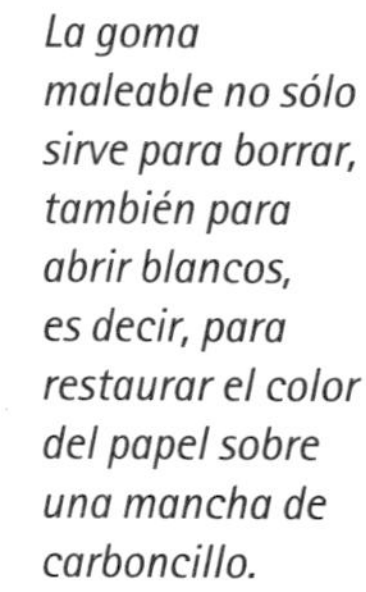

La goma maleable no sólo sirve para borrar, también para abrir blancos, es decir, para restaurar el color del papel sobre una mancha de carboncillo.

Una vez pasado el trapo, el rastro de las líneas se elimina fácilmente con una goma de caucho blanda, de las que se utilizan para borrar grafito.

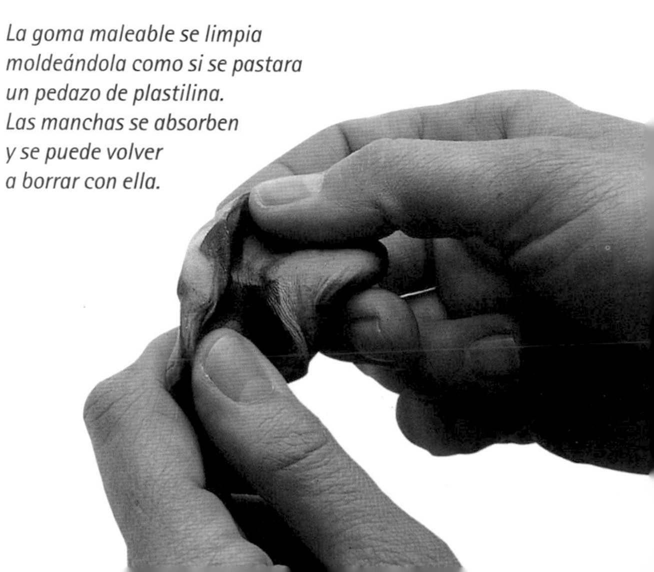

La goma maleable se limpia moldeándola como si se pastara un pedazo de plastilina. Las manchas se absorben y se puede volver a borrar con ella.

El lugar de trabajo

Podemos habilitar cualquier rincón de nuestro hogar para convertirlo en un pequeño estudio de dibujo. Este estudio debe reunir unas condiciones mínimas de espacio, mobiliario y luz. La mejor iluminación es la natural, pero no hay inconveniente en utilizar la luz artificial, siempre y cuando sea lo suficientemente clara y no canse la vista.

Aunque se viva en un piso pequeño, siempre se puede habilitar un rincón como estudio de dibujo y pintura; un lugar dedicado exclusivamente a esta actividad. No es necesario mucho espacio: una mesa no demasiado pequeña junto a una ventana es más que suficiente; con un poco de organización, puede caber todo el equipo.

Todos los estudios, cuando se trabaja mucho en ellos, acaban llenándose de objetos de todo tipo. No sólo de carpetas y materiales de dibujo sino de todos aquellos accesorios que se utilizan unas pocas veces para algunas obras determinadas y luego se almacenan. La cuestión del orden es relativamente importante: por muy desordenado que parezca un estudio, uno sabe dónde encontrarlo todo; pero es aconsejable adquirir el hábito de ordenar el lugar de trabajo una vez finalizada la sesión o la jornada.

La mejor luz artificial es la que proporcionan las lámparas halógenas, pero son caras, delicadas y consumen mucho. La iluminación más práctica y económica consiste en varios tubos de neón instalados en el techo o en la parte alta de las paredes; dan una luz general bastante buena, duran mucho y consumen poco; sin embargo, tienen el inconveniente de que su luz posee un tono verdoso, cosa que no puede percibirse a simple vista pero que, a veces, puede afectar la correcta visión de los colores. Combinando neones de distinta tonalidad puede obtenerse una iluminación mucho más próxima a la luz natural. Algo semejante puede conseguirse combinando neones y bombillas convencionales. Todas estas orientaciones hacen referencia a condiciones ideales, porque, esencialmente, lo que importa es tener la luz suficiente para ver lo que se está dibujando.

◆

En toda vivienda se puede encontrar un rincón donde organizar un pequeño estudio para dibujar y pintar.

◆

Un detalle importante acerca de los muebles del estudio: si éstos tienen ruedas, se pueden redistribuir según las necesidades de cada obra y agruparse para que ocupen menos espacio cuando no se trabaja.

El lugar de trabajo es una proyección de la personalidad del artista, de sus gustos y de su estilo de entender la práctica del arte. La luz, el espacio y los muebles necesarios para dibujar son consideraciones importantes.

Se puede dibujar sentado siempre y cuando el papel esté sujeto a un tablero situado ante nosotros en posición elevada. En cualquier caso, la solución ideal es trabajar de pie, con el papel de dibujo colocado en un tablero sobre el caballete.

Hábitos de trabajo

Para sacar todo el partido a nuestro lugar de trabajo, hay que saber cuáles son las necesidades básicas de todo dibujante. Saber, por ejemplo, que se puede dibujar sentado, trabajando con una mesa convencional, siempre y cuando se mantenga el dibujo sujeto a un tablero y éste se halle situado en una posición más o menos vertical frente a nosotros. Se puede apoyar el tablero contra la mesa o utilizar un pequeño atril como el de la imagen superior. El caballete, sin embargo, da una mayor libertad de movimientos y una agilidad de trabajo derivada del hecho que se trabaja siempre de pie. De una u otra forma, el espacio disponible debe ser el suficiente para que podamos retirarnos a cierta distancia del dibujo y contemplarlo desde lejos.

En la imagen superior puede verse un atril de dibujante; éste es muy cómodo para trabajar sentado, teniendo la hoja de papel en la posición adecuada.

MATERIAL AUXILIAR
Aparte de los lápices, carboncillos, papeles y otros utensilios, en el equipo del dibujante nunca deben faltar tijeras, *cutters* y reglas para cortar papel. En efecto, a veces resulta más económico comprar papel en rollos o en hojas grandes; para cortar estos grandes formatos a la medida justa, se debe disponer de una regla metálica y una escuadra (para conseguir ángulos rectos), y no está de más tener un tapete de goma o de plástico sobre el que cortar, para no rayar la mesa de trabajo.

Estos utensilios son casi imprescindibles para adecuar los tamaños de las hojas de papel a cada necesidad. El tapete de goma evita que, al cortar con el cutter, *se raye la mesa de trabajo.*

Organización del estudio

Un pequeño espacio en una habitación puede convertirse en nuestro estudio de dibujo, lo importante es que, independientemente de su amplitud, mantengamos ese espacio dedicado sólo al dibujo. Ahí podremos colocar nuestra mesa de trabajo, a ser posible junto a una ventana, para trabajar con luz natural. Lo ideal es que la mesa tenga un sobre regulable, pero no es imprescindible (siempre cabe la posibilidad de trabajar con un pequeño atril o con el tablero apoyado contra el canto de la mesa). Una pequeña cómoda permitirá guardar los utensilios y mantenerlos ordenados. El papel, tanto el usado como el nuevo, debe guardarse siempre en carpetas, pues de otro modo se dobla y se deteriora con mucha facilidad. Por su pequeño tamaño, los utensilios del dibujante tienden a perderse; es importante reunirlos todos en una caja metálica o de madera lo suficientemente grande para que quepan de forma holgada carboncillos, lápices, *cutters*, gomas de borrar, plumas, sanguinas, cretas y otros utensilios.

Las carpetas son indispensables para guardar tanto los dibujos como el papel sin usar. Después de comprarlas, las hojas deben desenrollarse e introducirse inmediatamente en una carpeta del tamaño adecuado.

Sobre estas líneas, puede verse un estuche para guardar los utensilios de dibujo. De no hacerlo así, los perderá de vista rápidamente.

El lugar de trabajo debería contar con luz natural, que cansa menos la vista, pero una buena iluminación artificial también permite trabajar con comodidad. Un sobre de mesa regulable hace aún más cómoda la labor del dibujante.

UN CIERTO ORDEN
Los artistas tenemos fama de desordenados, pero sin un poco de orden es imposible trabajar cómodamente. Orden que quiere decir volver a colocar cada cosa en su lugar después de la sesión de dibujo. Durante el trabajo, sin embargo, no se preocupe: dibuje con desenvoltura, concentrado en su obra, sin preocuparse de lo que sucede alrededor ni de si un papel ha caído al suelo o una carpeta no está en su sitio. Al final de la sesión todo debe volver a su lugar, sobre todo si su rincón de trabajo es pequeño.

Para un trabajo limpio

Los medios de dibujo suelen ser "sucios", manchan las manos y, por supuesto, el papel. Cuando se posee experiencia en el trabajo artístico, se saca provecho de los accidentes que se producen, casi inevitablemente, durante el proceso de dibujo y apenas es necesario tomar precauciones. Pero el principiante debe seguir una serie de consejos para evitar manchas o problemas en el proceso de trabajo. Un dibujo casi acabado se puede estropear por no haber tomado unas precauciones mínimas: limpiarse las manos después de cada difuminado, utilizar un papel como protector del dibujo, y limpiar bien la hoja después de cada borrado, son algunas de las recomendaciones. Es muy importante no estar pendiente de estas cuestiones mientras se dibuja; por lo tanto, estas precauciones deben convertirse en automatismos, en cosas que se hacen sin pensar.

Para prevenir las manchas durante el trabajo, la goma de borrar debe limpiarse antes de trabajar con ella. Para ello se frota sobre un pedazo de papel hasta eliminar la suciedad.

◆

Tomar unas precauciones mínimas evitará problemas innecesarios

Las pequeñas virutas de goma que se producen al borrar deben eliminarse (con un pincel ancho, por ejemplo) antes de continuar el dibujo. A veces, por no hacerlo, la mina del lápiz tropieza con estos restos y el trazo se desvía.

Cuando el dibujo está avanzado y para no mancharlo con la propia mano, se puede colocar un pedazo de papel limpio entre la mano que trabaja y el papel para que no entren en contacto.

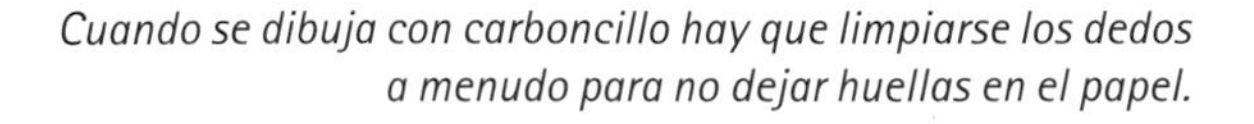

Cuando se dibuja con carboncillo hay que limpiarse los dedos a menudo para no dejar huellas en el papel.

El primer contacto con los materiales

La técnica del dibujo está estrechamente relacionada con el conocimiento práctico de cómo se usan ciertos materiales. No es lo mismo dibujar a lápiz que a sanguina y tampoco es igual dibujar sobre un papel liso que sobre uno rugoso. Cada utensilio pide un tratamiento especial y un soporte determinado.

Todos los artistas tienen sus preferencias en cuanto a los materiales que utilizan. Un mismo tema de dibujo, un retrato, por ejemplo, no resulta igual dibujado a lápiz que trabajado al carboncillo; el lápiz da matices sutiles, mientras que el carboncillo permite una expresión más contundente. Cada utensilio transmite un carácter particular a la obra: la energía o la suavidad propia del medio utilizado. Por esta razón y antes que nada, es imprescindible familiarizarse con los medios de dibujo; además es muy divertido trazar, manchar, combinar medios, probar su resistencia y su efecto sobre la textura del papel... Por el momento, no importa el dibujo en sí mismo, sino el aspecto de los trazos y manchas.

◆

Cada utensilio da un carácter particular al dibujo según la energía o suavidad propia del medio.

◆

Probando los materiales se descubre que algunos son más dúctiles que otros. Descubrimos, por ejemplo, que el carboncillo cunde mucho y puede difuminarse y extenderse sobre el papel con suma facilidad; que el grafito es una materia bastante grasa y que penetra en el grano del papel mucho más que cualquier otro medio; que no es lo mismo borrar trazos de lápiz que trazos de sanguina; asimismo, reconocemos la importancia de la textura del papel, su efecto en el trazo y en el sombreado. Evidentemente, esto implica utilizar y gastar material, pero vale la pena. Los utensilios de dibujo artístico no son muy caros y no hay que escatimar su uso; debemos perderle el respeto al material, no tener miedo de estropear una o varias hojas de papel o gastar una barrita de carboncillo. Para estas pruebas iniciales, se pueden utilizar papeles de calidad inferior o papel de embalaje; los resultados no serán exactamente los mismos, pero la práctica adquirida le será muy útil en el futuro.

Sam Szafran, Taller. *Colección particular. Cada artista tiene sus preferencias y desarrolla su obra utilizando unos medios en detrimento de otros; como por ejemplo las cretas y el pastel, en el caso del pintor que realizó esta magnífica obra. Para decidir cuáles son los medios que más nos convienen, primero hay que conocer todas las posibilidades y experimentar con todo tipo de utensilios.*

Las calidades del grafito

Del grafito y no sólo del lápiz. Porque, como ya sabemos, el grafito se presenta en distintos formatos: en barras, en minas y, por supuesto, también en lápices convencionales. Las calidades del grafito se pueden resumir en los siguientes factores: suavidad en los degradados, de oscuro a claro o viceversa, mediante la combinación de minas de distinta dureza; zonas de intensidad uniforme, sin rastros de trazos, conseguidas con frotados con la mina plana; perfiles muy bien delimitados dibujando con el lápiz de punta (con la mina bien afilada). En resumen, que dibujando con grafito, el juego de luces y sombras puede explotarse al máximo, consiguiendo también una excelente definición de contornos, perfiles y pequeños detalles. En la gran imagen que preside estas dos páginas, llamamos su atención respecto algunos fragmentos significativos, convenientemente ampliados y explicados en sus particularidades técnicas. Vale la pena que ensaye estas soluciones en un papel, mientras estudia los efectos conseguidos en el dibujo de la ilustración.

Con el lápiz sujeto cerca de la punta se tiene un buen dominio del trazo, y se mantiene el control visual del efecto conjunto. En este caso, se trata de perfilar los párpados mediante un trazo intenso. Detalles de este tipo corresponden siempre a una fase avanzada del dibujo, cuando ya se ha planteado el sombreado general.

Dibujar con el lápiz sujetado a la manera convencional es propio de dibujos de pequeño tamaño y realizados a base de líneas.

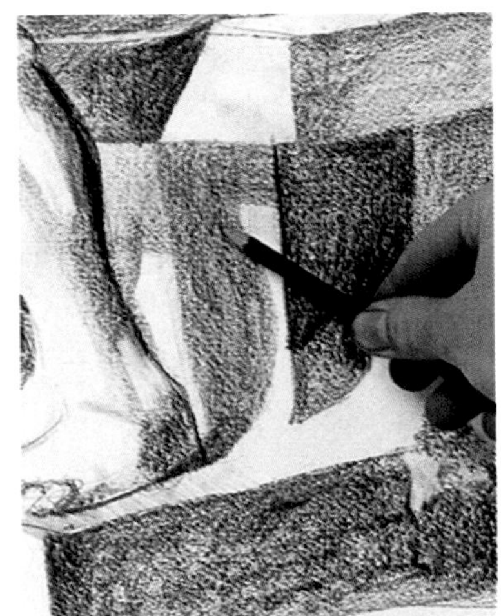

Aquí se está aplicando la mina plana sobre el papel, sujetando el lápiz desde la mitad del bastón, sin ejercer mucha presión. Como se puede comprobar, el resultado es un sombreado general que parace más una mancha que una acumulación de trazos.

La ilustración de la izquierda muestra la forma de sujetar el lápiz para trazar con libertad, creando sombreados suaves o agrupaciones de líneas que no requieran mucha precisión. Dibujando así, se tiene mayor dominio del conjunto y del recorrido de las líneas largas.

La ilustración al pie de estas líneas muestra la manera de sostener el lápiz cuando hay que sombrear con toda la extensión de la mina (sombreado sin trazos visibles). Esta posición sirve también para trazar rectas con facilidad, moviendo el lápiz en la misma dirección marcada por la mina.

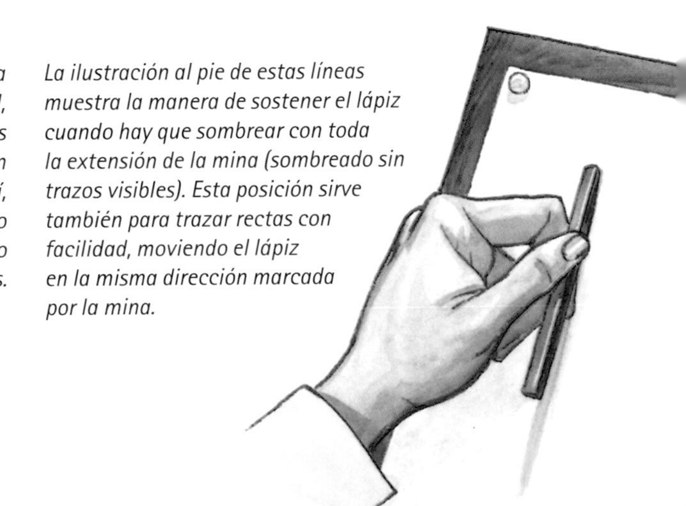

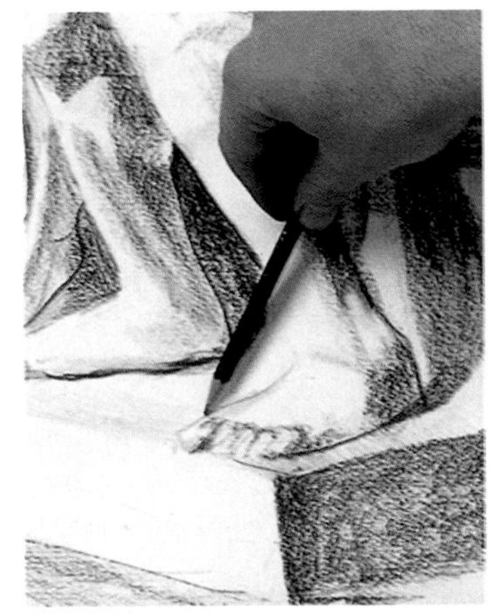

Si sujetamos el lápiz casi desde su extremo, el control de la línea es mínimo, pero puede obtenerse una gran suavidad en el sombreado, ya que la mina apenas roza el papel. Precisamente son sombreados ligeros de este tipo lo que pide esta zona del dibujo.

Esto es un perfilado que separa dos zonas sombreadas. El lápiz se sujeta desde mucho más cerca de la punta, para controlar mejor el trazo; la mina se aplica plana sobre el papel para facilitar la obtención de una línea recta.

En esta obra se han aplicado todos los recursos técnicos del dibujo a lápiz. Lo normal es utilizar solamente unos pocos de esos recursos trabajando con una o dos minas a lo sumo, pero el gran tamaño del original exigía la máxima variedad posible de efectos.

Lápices de colores: pintar dibujando

Las formas de sujetar el lápiz y los efectos que de ellas se derivan también sirven para los lápices de color. La única diferencia está en el resultado: donde antes creábamos sombreados y degradados de grises, ahora con los lápices de colores obtenemos efectos pictóricos de mezcla y superposición de colores. Aunque las tonalidades de los lápices no se pueden mezclar realmente, al trazar sobre una zona coloreada la superposición de trazos se crea un efecto casi igual al de la mezcla convencional. Este tema se comentó en las páginas dedicadas a los materiales; en ese apartado también se dijo que esto obliga a disponer de una amplia gama de colores para no tener que estar constantemente superponiendo trazos en busca de una tonalidad concreta. En esta doble página se ilustra y explica todo lo referente a los métodos específicos del dibujo con lápices de colores. Un medio de dibujo que también es una técnica de pintura.

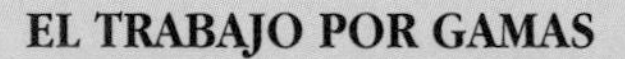

EL TRABAJO POR GAMAS

La variedad cromática de un dibujo con lápices de colores se consigue utilizando muchos tonos distintos y sin mezclar una gama más o menos limitada, que es lo normal en otras técnicas pictóricas como el óleo o la acuarela. Hay que utilizar gamas distintas para cada tonalidad (cuatro o cinco verdes, otros tantos azules, diversos rojos, etc.); así no hacen falta mezclas, se facilita el trabajo y se matiza con precisión toda la riqueza cromática del tema.

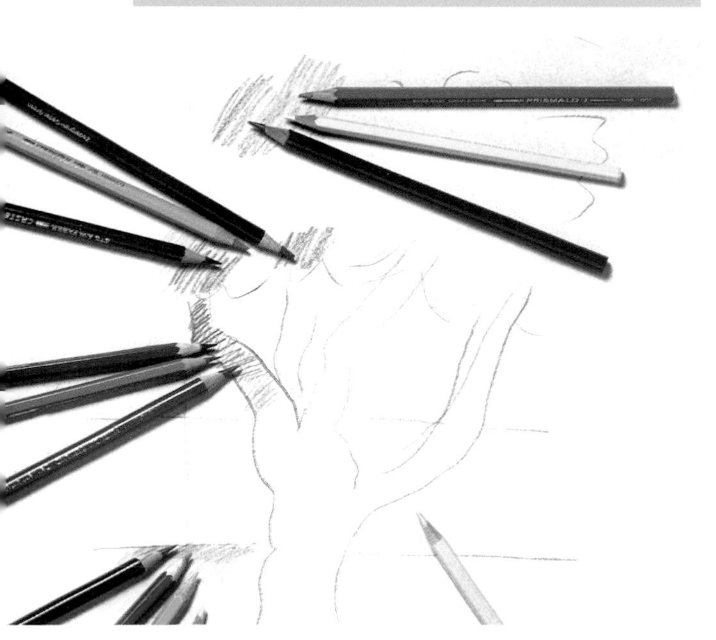

La presión ejercida sobre la mina influye en la intensidad del color. Esto permite jugar con el blanco del papel como factor de aclarado de los tonos, dejándolo transparentarse más o menos según la intensidad deseada.

Las mezclas directas sobre el papel, siempre difíciles con lápices de colores, pueden sustituirse por tramados de dos o más colores combinados en trazos en distintas direcciones.

Igual que con los lápices de grafito, con los lápices de color se pueden crear sombreados cruzando trazos en distintas direcciones.

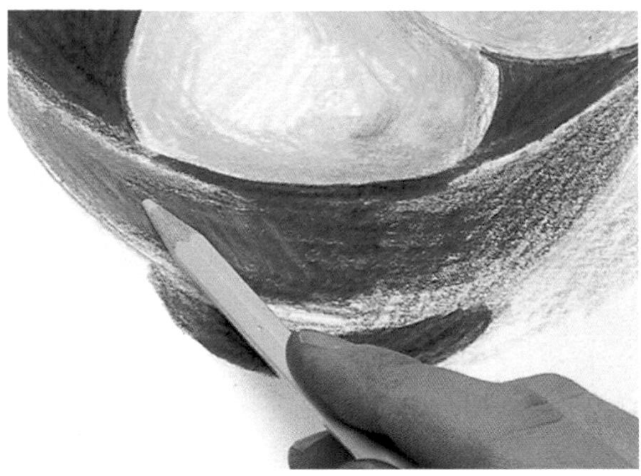

Los lápices de color gris claro son muy útiles para aclarar tonos, unificándolos en degradado con el blanco del papel. Este efecto puede conseguirse también con un lápiz de color blanco.

Antes de empezar un dibujo con lápices de colores, y en el caso de que deba elaborarse mucho, es necesario estudiar el tema y decidir la composición de las gamas o grupos de colores que van a intervenir.

En este dibujo se han empleado todas las técnicas típicas del trabajo con lápices de colores: mezcla, superposición y tramado.

Otro aspecto interesante de los lápices de color gris es que también sirven para difuminar trazos y unificar zonas de color. El gris apenas afecta la tonalidad dominante y funde muy bien los tonos entre sí.

Igual que en los sombreados de grafito, la aplicación de la mina plana sobre el papel sirve para conseguir zonas de color sin trazos visibles y con el realce de la textura del papel.

Mezclas directas, mezclas ópticas y tramados

La mezcla directa consiste en trazar sobre un color previo, presionando hasta que ambos colores se funden, dando como consecuencia un color mezclado. Esto no siempre da buenos resultados y a menudo es mejor trabajar con mezclas ópticas, es decir, superponer suavemente un color sobre otro para efectuar una veladura: un velo cromático que cree el efecto de mezcla. Esta técnica consiste en extender primero los colores oscuros y sobre ellos los claros. En cualquier caso, la mezcla óptica da mejores resultados si se trabaja con colores primarios (amarillo, rojo y azul), más que con tonalidades oscuras o de tono grisáceo o poco definido. Otra alternativa es el tramado, que consiste en entrecruzar líneas de distintos colores para que, a cierta distancia, dé la sensación de mezcla; éste es un procedimiento bastante más laborioso que los anteriores.

En estas dos imágenes se puede comprobar el efecto de una mezcla óptica: ésta sólo puede conseguirse si se pinta con el color claro sobre el más oscuro, nunca al revés.

Los carboncillos son ramas de sauce carbonizadas. Se venden sueltos y en cajas de 20 unidades o más.

Un pedazo de carbón

Basta un trozo de carbón para dibujar en gran formato. El carboncillo es un medio extraordinariamente directo, se puede dibujar con la barrita entera, del principio al fin, aplicándola de punta como un lápiz o plana sobre el papel. Mancha mucho, pero esto es una ventaja y no un inconveniente. Dibujando al carboncillo se pueden trazar las líneas maestras del tema con sus sombras incluidas en muy poco tiempo; además, los trazos se pueden modificar, borrar, difuminar e intensificar tantas veces como sea necesario. La intensidad de las manchas puede graduarse a voluntad: desde el negro completo hasta grises muy suaves. Además, si se trabaja sobre un papel de color claro, esos grises lucen todavía mejor, más matizados, menos crudos que sobre papel blanco. Resumiendo: el carboncillo es un medio rápido, ágil y francamente divertido de utilizar.

Para difuminar

Para difuminar pueden utilizarse los dedos, pero existen unos utensilios llamados difuminos que permiten afinar más en el sombreado. Los difuminos son unos cilindros de papel esponjoso, acabados en punta por sus dos extremos, con los que pueden extenderse las manchas de carboncillo, rebajando al mismo tiempo su intensidad. Sirven, asimismo, para pasar de una sombra oscura a otra más clara con continuidad y sin cortes. Cuando están sucios, pueden utilizarse para manchar directamente alguna zona determinada.

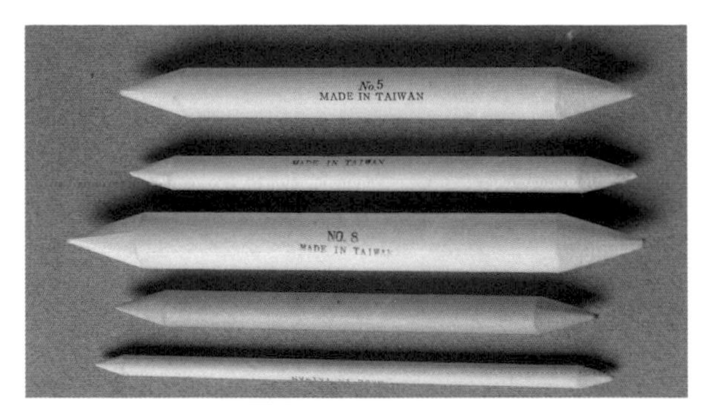

Éstos son difuminos de diferente tamaño. También los hay de distintas durezas: los más blandos absorben más carboncillo y también manchan más; los duros extienden más el carbón y se emplean sobre papeles más lisos.

En la imagen se ve cómo los trazos de carboncillo se extienden y desdibujan frotando sobre ellos con el difumino. Este efecto se multiplica al trabajar sobre manchas directas de carbón.

Las barritas de creta se utilizan igual que los carboncillos, pero manchan menos, no se difuminan con tanta facilidad y con ellas pueden trazarse líneas delgadas.

LAS CRETAS
Las cretas son barritas de color, muy parecidas a los pasteles pero más duras. Los colores más habituales de las cretas son el tono sanguina (un rojo teja), el pardo o sepia y el blanco. Las cretas combinan muy bien con el carboncillo, sobre todo cuando se utilizan sobre un papel ligeramente coloreado. Al ser más duras que el carbón, permiten recortar perfiles desdibujados y valorar las sombras con trazos coloreados.

Las cretas se venden en barra y también en lápiz. La obvia ventaja del lápiz sobre la barra es la agudeza de la punta. Las barras, normalmente, se utilizan para formatos grandes y los lápices para dibujos pequeños.

El dibujo al carboncillo se debe fijar

Fijar un dibujo al carboncillo significa aplicarle una goma líquida con un aerosol, para que las partículas de carbón no se desprendan. El aerosol hay que aplicarlo a una distancia de 30 cm del papel colocado en vertical. Las aplicaciones deben ser breves y ligeras, para que la hoja de papel no se manche ni se empape. La operación se repite hasta que al frotar los dedos sobre el dibujo, éstos no se manchen.

En la imagen se puede apreciar cómo las manchas de creta también pueden difuminarse y mezclarse al frotar sobre ellas.

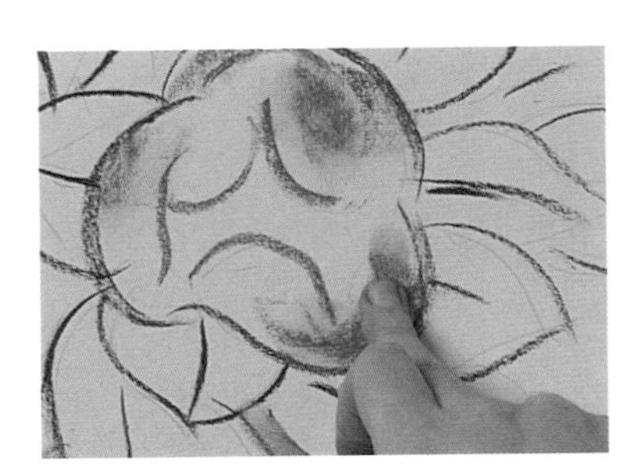

En este dibujo realizado con carboncillo y creta color sanguina se han aplicado diferentes técnicas de difuminado.

Para conseguir amplias zonas difuminadas hay que manchar primero con la barrita para acumular polvillo de carbón sobre el papel. Sobre esa mancha se frota después con los dedos o el difumino.

Frotando con todos los dedos es más fácil extender y difuminar las manchas sobre una superficie grande.

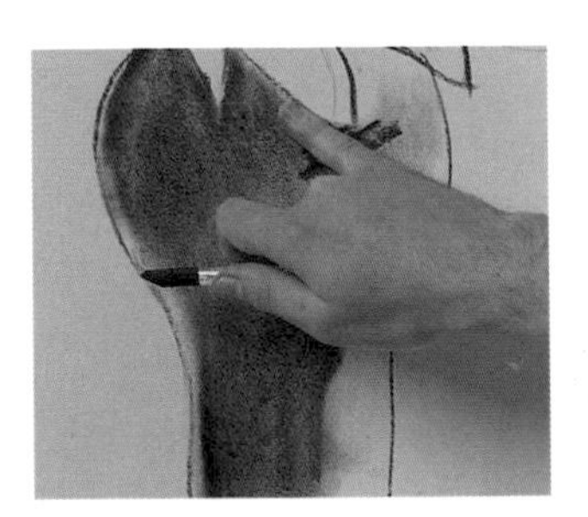

LA MANO ES LA MEJOR HERRAMIENTA

El carboncillo puede manipularse con difuminos, pero la manera tradicional es la más directa y eficaz: los dedos y el canto de la mano. Hay que ensuciarse sin miedo, frotando con desenvoltura y aprovechando la suciedad de los dedos para crear manchas suaves en otras zonas.

Cada zona de la mano cumple una función en el difuminado: los dedos para los detalles y el resto para las grandes zonas.

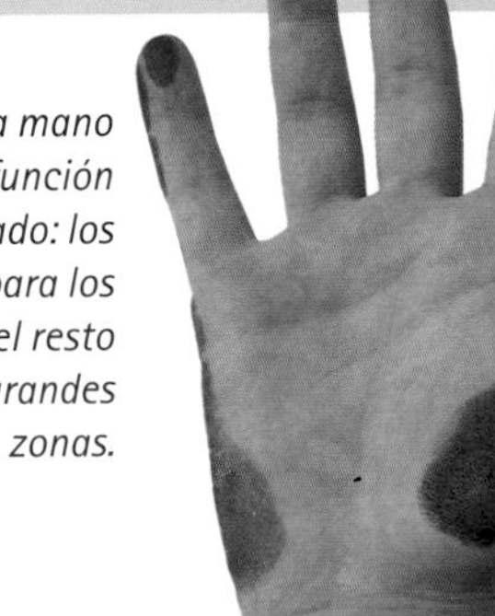

Sanguina a la manera clásica

Como ya hemos visto, la sanguina es un color, de la familia de las cretas, de un rojo tierra. Es un medio clásico de dibujo más cálido e intimista que el carboncillo; casi podría decirse que es el medio idóneo para pintar temas femeninos, pues posee entonaciones más armoniosas y de transiciones suaves; asimismo, sus mejores resultados se obtienen cuando se trabaja sobre papel coloreado. Los colores del papel recomendados son: ocre claro, crema, siena pálido, gris o verde muy claro. Vale la pena que pruebe la sanguina sobre este tipo de superficies coloreadas, porque los efectos no se aprecian bien en una fotografía. El hecho de trabajar sobre papeles de color tiene la ventaja añadida de que se puede aplicar, junto con la sanguina, la creta blanca para realzar luces y brillos. En la obra reproducida aquí, la sanguina se ha utilizado en combinación con creta blanca y carboncillo sobre papel tipo Ingres de color crema.

Éste es un estado anterior a la imagen central. Se puede apreciar cómo el planteamiento de la obra es ligero y con manchas amplias.

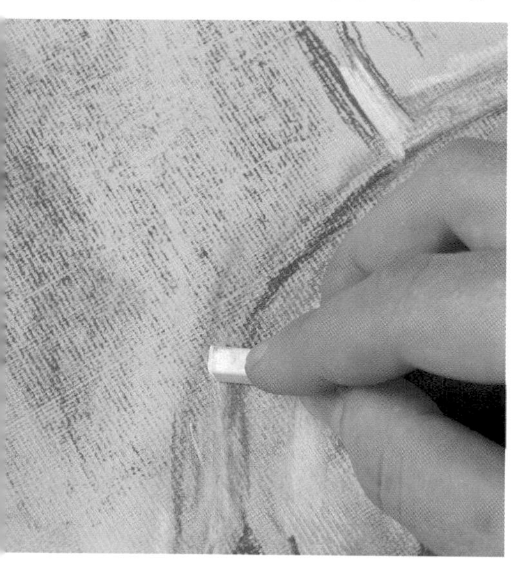

Manchando con la barrita de sanguina plana sobre el papel se pone de manifiesto la textura o grano del mismo. Podemos aprovechar este hecho para crear efectos de textura en distintas partes de la obra.

Obsérvese cómo se aplica creta blanca sobre algunos trazos de carboncillo y se obtiene un gris muy claro, que sirve para contrastar la forma del cuerpo y remarcar el contorno.

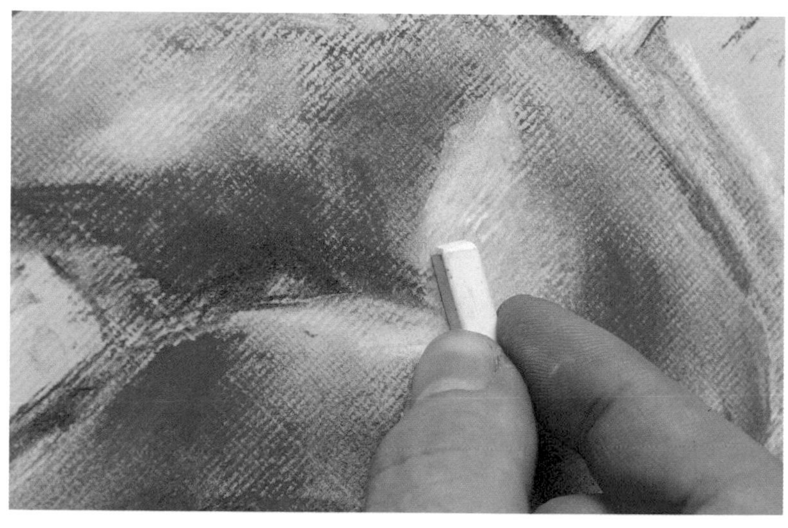

La gran ventaja de dibujar sobre papel de color es que no sólo queda realzado el tono de la sanguina sino también el de la creta blanca, con la que podemos realzar las luces y partes más claras de la obra.

La sanguina no se deja difuminar con tanta facilidad como el carboncillo; no obstante, se pueden lograr manchas degradadas frotando con el dedo sobre ellas.

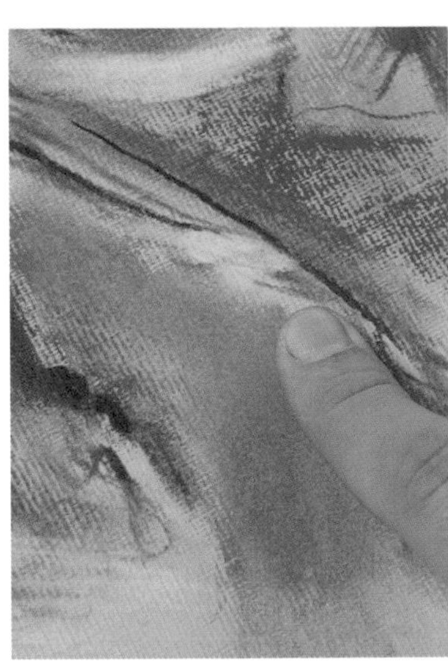

El papel también cuenta

Si utilizamos papel coloreado, debemos hacerlo con todas las consecuencias, es decir, empleándolo como un color más. Las zonas sin manchar serán zonas coloreadas del tono del papel. Los colores crema son ideales para representar sobre ellos el cuerpo humano. Matizando alrededor de la forma, dejando ésta del color del fondo, podemos lograr expresar el color de la carne con elegancia y sencillez, sin recargar la forma de luces, sombras y difuminados innecesarios. Naturalmente, hay que elegir un tono que armonice bien con el color de la sanguina.

Este dibujo está resuelto a modo de apunte o boceto, a base de contrastes entre manchas, sin una intención de realismo minucioso.

Las combinaciones de la técnica mixta

La técnica mixta es la combinación de distintos procedimientos de dibujo en una misma obra. Es una técnica muy en boga actualmente, dada la tendencia experimental de los artistas modernos. No todos los procedimientos se dejan combinar por igual: el grafito y el carboncillo no se avienen, porque el primero es graso y sobre él no se adhiere el carbón. En general, los medios grasos no se pueden combinar con los medios secos, ya sea en dibujo o en pintura, pero aparte de esta incompatibilidad, los restantes medios de dibujo pueden mezclarse perfectamente entre sí. La obra que ilustra estas páginas presenta combinaciones de técnicas secas (carbón, pastel y cretas) y técnica húmeda (guache). En las imágenes ampliadas, se muestra en detalle el procedimiento seguido para conseguir los distintos efectos de forma y de color.

En esta obra se han empleado cretas, barras de pastel, carbón y guache. Es un buen ejemplo de técnica mixta, entre el dibujo y la pintura.

HÚMEDO Y SECO
Todos los medios de dibujo pueden aplicarse sobre húmedo con precaución. En la obra reproducida, se ha trabajado primero con guache las manchas básicas y luego se han superpuesto los sombreados y trazos de pastel, creta y carbón. El procedimiento puede hacerse a la inversa: aplicando agua o guache sobre la sanguina o el pastel.

El lápiz carbón da un negro muy intenso que puede utilizarse como contrapunto de las superficies tratadas con colores suaves, sobre todo si están disueltos en agua.

La participación del guache

El guache es uno de los procedimientos más utilizados en el dibujo con técnicas mixtas. Los colores al guache pueden mezclarse con casi cualquier otro medio de dibujo, tanto húmedo como seco. Normalmente, se suele combinar con pastel, ya que la superficie de las manchas de color al guache, cuando están secas, presentan una ligera rugosidad que favorece la adhesión de las partículas tanto de pastel como de cretas o carboncillo. Pero también se puede proceder a la inversa: extendiendo aguadas de color muy disuelto para que el pigmento del pastel o la creta se mezcle con el guache, integrando las características de un procedimiento en las del otro. Cuantas más técnicas se utilizan combinadas, más posibilidades hay de que el resultado sea confuso; para evitarlo, se debe utilizar el guache con precaución, muy disuelto en agua y sin crear espesores.

La obra en un estado inicial, con la composición planteada a base de manchas de guache.

El lápiz carbón o de mina de creta puede servir para remarcar los contornos desdibujados por las aplicaciones de guache.

Las manchas de creta o de pastel pueden mezclarse con guache, siempre y cuando el color esté bastante disuelto en agua.

El pastel se adhiere bien a las superficies pintadas con guache y es un excelente medio de realce de las manchas de color resueltas mediante aguadas.

Errores fáciles de evitar

De nuevo, volvemos sobre la cuestión de la limpieza y el cuidado del dibujo durante y después de su realización. En csta ocasión, mcncionarcmos algunos problemas que pueden surgir durante el trabajo, como por ejemplo la presencia accidental de huellas de dedos en el dibujo acabado, o de pliegues en la hoja de papel debidos a un almacenamiento indebido. Todos los consejos que se reúnen aquí hacen referencia a las técnicas anteriormente comentadas y tienen muy fácil solución. Con la práctica, se evitan de manera inconsciente estos accidentes. Al principio, es normal ensuciar un poco los dibujos, o incluso estropearlos de modo accidental; por lo tanto, es del todo aconsejable tomar las debidas precauciones, siempre y cuando esto no coarte la libertad y agilidad en el trabajo.

No hay que insistir en el borrado de los lápices de colores a menos que el trazo sea muy suave. Cosas como ésta ocurren cuando se ha maltratado el papel con demasiada insistencia en el borrado.

Cuando se difumina con el dedo y no se toman precauciones, es fácil que el dibujo se nos manche de huellas.

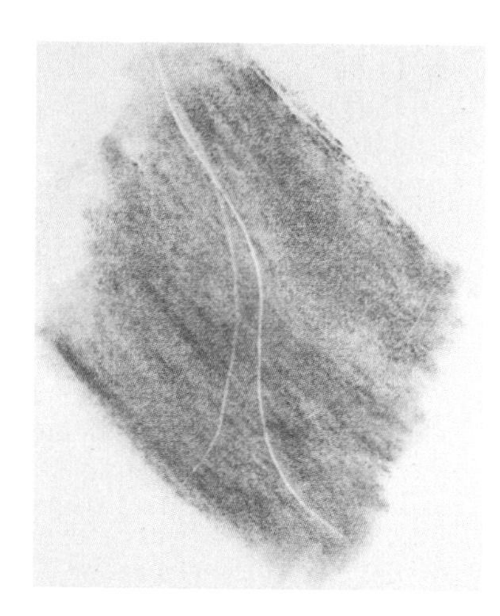

Esto puede ocurrir si se dibuja con lápiz de mina dura (en lugar de blanda) antes de pasar al carboncillo: hemos borrado el lápiz, pero permanecen los surcos que su mina ha dejado en el papel.

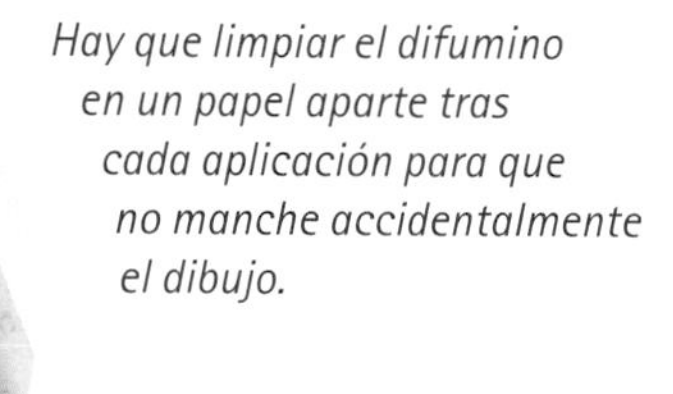

Hay que limpiar el difumino en un papel aparte tras cada aplicación para que no manche accidentalmente el dibujo.

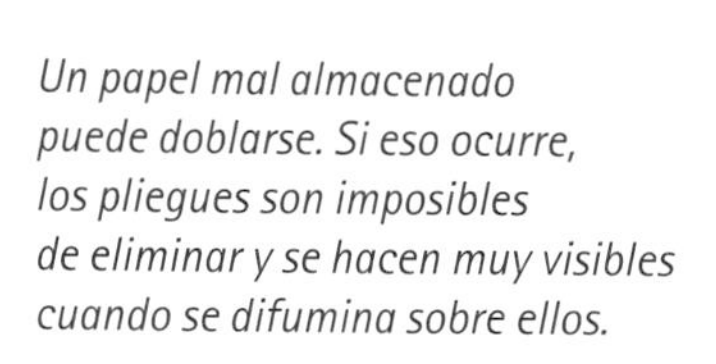

Un papel mal almacenado puede doblarse. Si eso ocurre, los pliegues son imposibles de eliminar y se hacen muy visibles cuando se difumina sobre ellos.

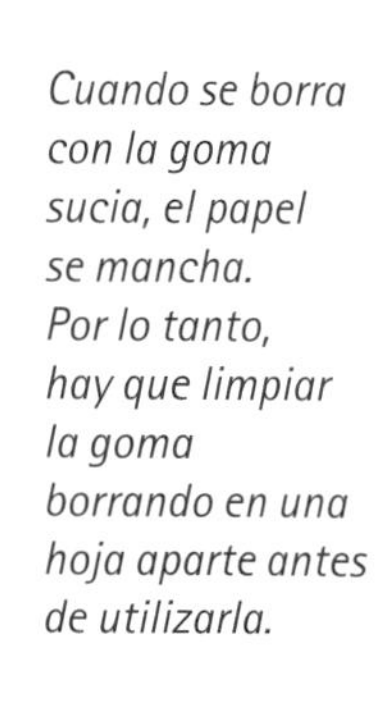

Cuando se borra con la goma sucia, el papel se mancha. Por lo tanto, hay que limpiar la goma borrando en una hoja aparte antes de utilizarla.

Algunas formas sencillas

Dibujar es saber representar gráficamente formas imaginarias o copiadas de la realidad. Todos los objetos encierran en sí mismos formas elementales. Por lo tanto, se puede representar cualquier figura sabiendo ver en ella una forma o combinación de formas simples, y todos somos capaces de dibujar correctamente estas formas sencillas.

Tan sencillas, que no hace falta saber dibujar para realizarlas: basta con ser capaz de trazar un cuadrado, un triángulo y un círculo. Éstas son formas esenciales, vienen a ser el vocabulario básico del dibujo; combinándolas entre sí de distintas maneras se puede dibujar casi todo. Pero hay que practicar hasta dominarlas, hasta ser capaces de construir con muy pocos trazos cualquiera de las formas mencionadas en todas las posiciones y tamaños.

Insistimos en que, en esta sección, es fundamental que usted practique lápiz en mano cada uno de los dibujos propuestos. Además, debe continuar practicando por su cuenta, intentando reproducir cualquier objeto que vea y le llame la atención o que tenga en mente.

◆ *A partir de la combinación de formas sencillas se puede dibujar casi todo* ◆

Una de las ventajas de dibujar a partir de esquemas sencillos es que los dibujos resultantes conservan siempre algo del aspecto elemental de las formas básicas, y eso les da un encanto especial que sin duda vale la pena conservar en dibujos más elaborados. Con la práctica y partiendo de una buena base, podrá ir añadiendo detalles y efectos más elaborados, sobre todo cuando estudie las técnicas de la sección dedicada al sombreado. Obviamente, lo más sencillo es dibujar estas formas a lápiz (un lápiz blando, por ejemplo el 3B), pero también se puede practicar con cualquier otro medio, teniendo en cuenta que el trazo será más grueso y el tamaño del dibujo tendrá, por tanto, que ser mayor.

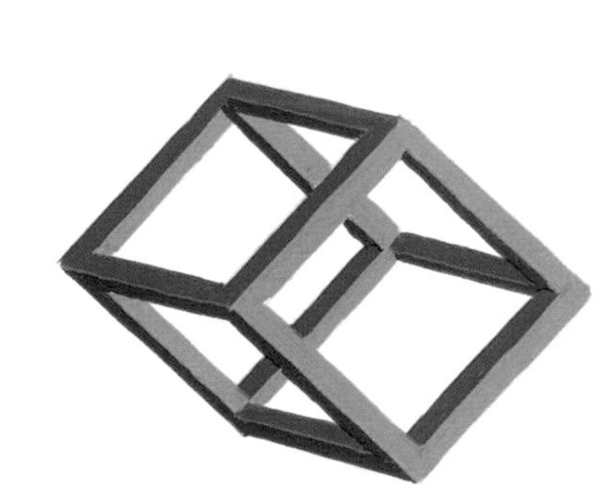
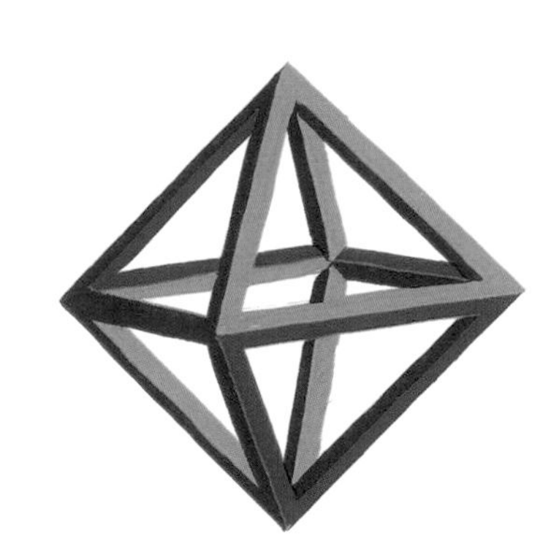
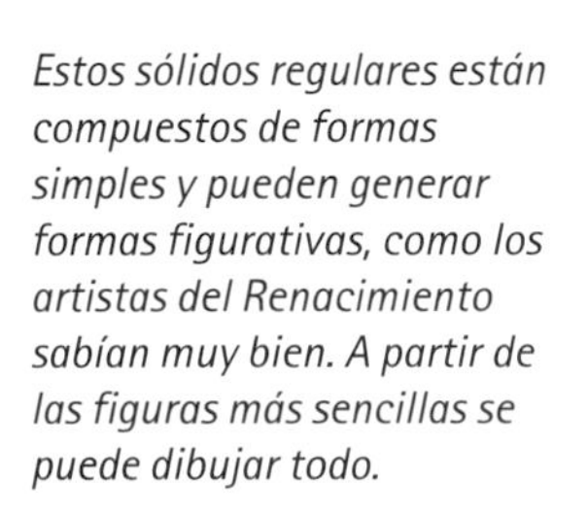

Estos sólidos regulares están compuestos de formas simples y pueden generar formas figurativas, como los artistas del Renacimiento sabían muy bien. A partir de las figuras más sencillas se puede dibujar todo.

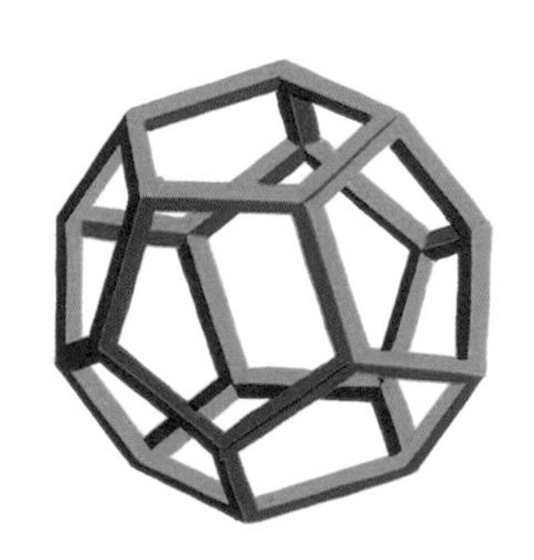
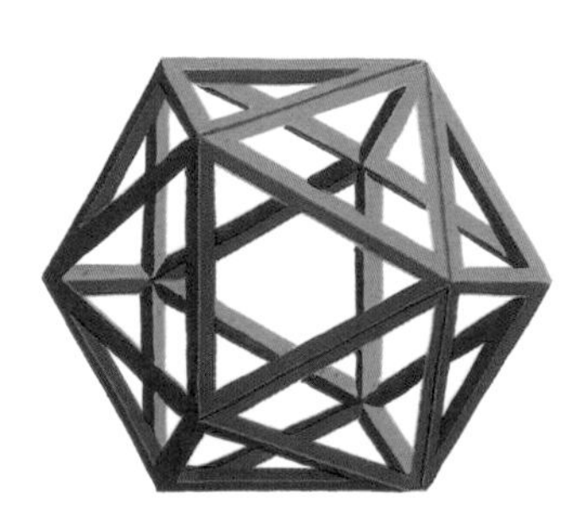

La pureza de las formas básicas

Como los dibujantes medievales sabían muy bien, las formas elementales tienen una fuerza y una atractivo incomparables. Es el lado más amable de la geometría, el que no tiene que ver con medidas y cálculos complicados sino con la regularidad y la armonía de la forma. Junto a estas líneas puede ver reproducidos unos dibujos medievales; son obra de un gran artista, Villar de Honnecourt, que reunió muchos ejemplos de este tipo en un libro para que sirvieran de inspiración a otros escultores y pintores. Todos los dibujos parten de formas geométricas sencillas y se atienen a ellas con una claridad sorprendente. El dibujante puso mucha fantasía de su parte y esto es lo que da su particular encanto a cada uno de estos dibujos; asimismo, demostró que el arte del dibujo se basa en fundamentos sencillos y muy firmes: en la regularidad de las formas básicas.

Éstos son algunos dibujos del artista medieval Villar de Honnecourt. En su época sirvieron de inspiración a muchos artistas. La gracia y el interés de estas pequeñas obras no se ha desvanecido con el tiempo y hoy siguen siendo de gran ayuda para los dibujantes.

DIBUJOS COMPUESTOS

Todo dibujo es un compuesto de trazos, líneas y manchas; esas líneas son variaciones más o menos complicadas de algunos contornos básicos que coinciden con las formas elementales. Partiendo de ellas, se pueden construir formas complejas, figuras en movimiento, paisajes y todo tipo de temas artísticos. Cuando ya se saben dibujar las formas elementales, hay que aprender a verlas en la realidad, descubrirlas en esos temas.

Benito Bails, Principios de perspectiva (1776). *Esta figura está compuesta de formas cúbicas que, en el fondo, son cuadrados y rombos combinados. Un ejemplo más de la utilidad de las formas básicas en dibujo artístico.*

Orientaciones previas

Le será más fácil si realiza estos sencillos ejercicios a tamaño grande, de 15 o 20 cm de lado. Podrá controlar mejor las líneas y será más consciente de los errores. Dibujar una circunferencia a ese tamaño no es tan difícil como parece. Cuando lo consiga, le será muy sencillo dibujar la forma en pequeño y hacerlo sin la ayuda de otro esquema, a mano alzada y de un solo trazo. Ése es el objetivo que perseguimos, dibujar formas sencillas sin ningún problema para concentrarnos en el dibujo de objetos más complejos.

Cuestiones de proporción

Para apreciar si una forma está o no bien proporcionada, sólo hay que compararla con otra que sepamos a ciencia cierta que lo está. Poco a poco, no necesitaremos de esa ayuda y podremos determinarlo de un vistazo. Mientras dibuje, fíjese en las formas reproducidas en esta página y haga las correcciones necesarias en caso de que observe deformidades. No rectifique demasiado un mismo dibujo, porque acabará por no saber si está bien o mal; empiece otro en una hoja limpia y practique el ejercicio tantas veces como sea necesario.

Dibujar un cuadrado consiste en trazar cuatro líneas en ángulo recto. Las líneas deben ser de igual longitud y lo más rectas posible. Para ello, coloque el lápiz sobre el papel en la posición indicada en la fotografía. La longitud de la primer línea trazada es la que debe dar la pauta a las demás.

El cuadrado anterior es de mucha ayuda para dibujar una circunferencia bien proporcionada. Hay que marcar los puntos medios del cuadrado y dibujar una curva que los conecte entre sí. No sale a la primera, pero a los pocos intentos seguro que la curva se irá pareciendo a una circunferencia.

Ahora hay que dibujar un triángulo en el interior de la circunferencia. Esto se puede hacer de muchas maneras, pero para empezar intente dibujar el triángulo de la forma que puede ver en la imagen.

El sistema para dibujar un óvalo es el mismo que el utilizado para la circunferencia, sólo que ahora el esquema de ayuda es un rectángulo en vez de un cuadrado.

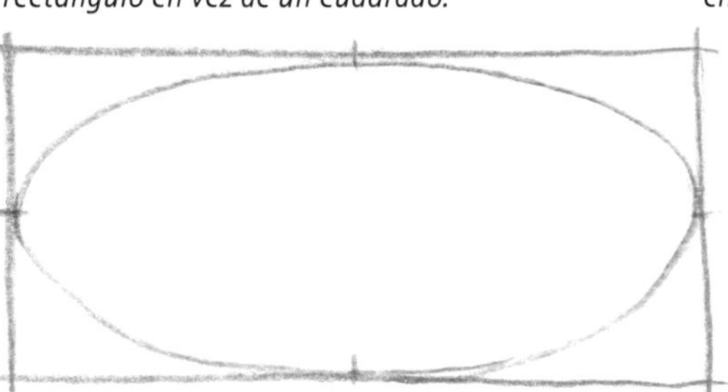

Francisco de Zurbarán, Limones, naranjas y rosas. *Fundación Norton Simon. La pureza de líneas y formas de este espléndido bodegón lo hace ideal para nuestro estudio de las formas elementales.*

El esquema general del plato con limones se basa en una circunferencia inscrita en su correspondiente cuadrado. El límite superior de los limones es una curva a una altura media de la circunferencia y el plato, un óvalo de anchura igual a la del cuadrado.

De los esquemas a la realidad

No exactamente a la realidad, sino a una representación estilizada de la realidad, en concreto, de esta preciosa pintura de Zurbarán. Las obras de este gran pintor suelen poseer una espléndida pureza de líneas, que las hace muy atractivas y especialmente adecuadas para practicar el dibujo a partir de formas y sombras. Se trata de copiar los tres elementos del cuadro (limones, naranjas y la taza sobre el plato) empleando únicamente las formas ensayadas en la página anterior. No hace falta empezar a dibujar para descubrir que esto es posible: todos los elementos (si exceptuamos las hojas) se pueden reducir a combinaciones de cuadrados, círculos y óvalos casi perfectos.

La taza y el plato se pueden esquematizar mediante un cuadrado y un óvalo. Ambas formas ocupan una altura equivalente a la mitad del cuadrado de encaje. La taza debe dibujarse bien centrada en el plato (la anchura de éste es la misma que la del cuadrado y se dibuja exactamente igual que el óvalo que contenía los limones).

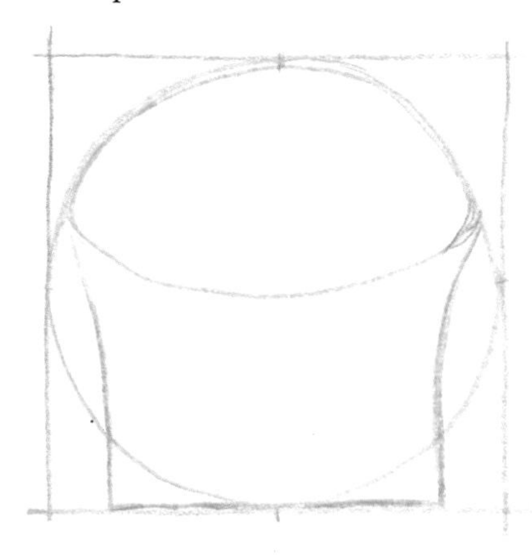

La cesta de frutas puede basarse en un triángulo inscrito en la correspondiente circunferencia. Bajo este triángulo se dibuja un cuadrado que, para guardar la debida proporción, debe sobresalir por debajo del cuadrado inicial que sirvió de encaje para la circunferencia.

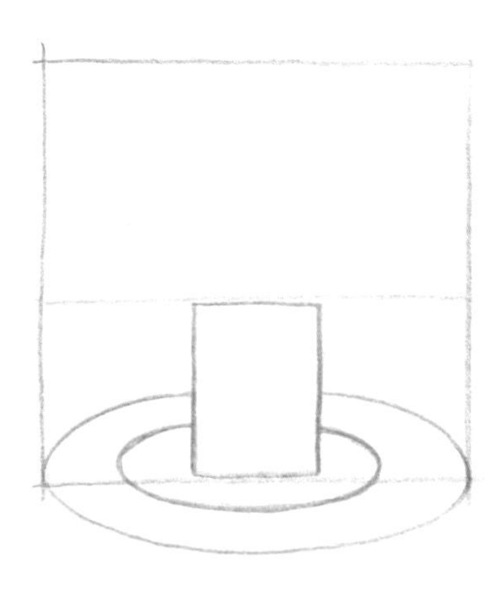

Dentro del esquema dibujado antes hay que acomodar cuatro círculos correspondientes a los cuatro limones. Los tamaños son prácticamente iguales y sólo hay que cuidar la colocación de cada círculo.

A partir del encaje anterior se puede acabar el dibujo borrando las líneas de encaje y retocando la forma de los limones. En el dibujo se han añadido algunas sombras para demostrar que realmente las formas del esquema coinciden con las del cuadro.

Añadiendo dos óvalos más al esquema de la página anterior (la boca de la taza y la rosa) se consigue un encaje suficiente para poder desarrollar la fase final del dibujo.

En este dibujo final se puede comprobar cómo se han respetado todos los contornos del encaje anterior. Sólo se han añadido algunos detalles y un ligero sombreado.

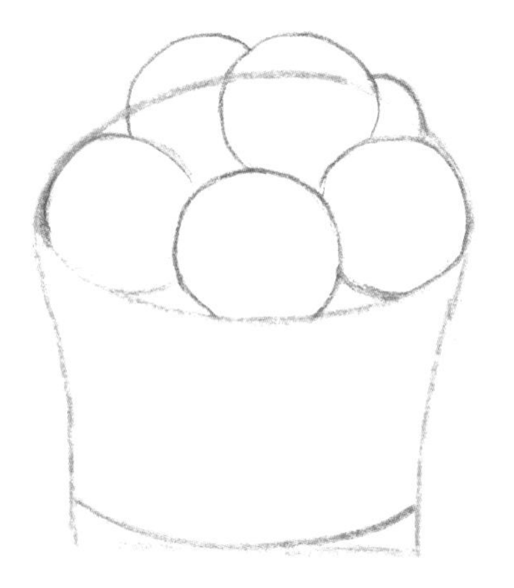

Esta evolución del esquema primitivo es muy similar a la del grupo de limones, sólo que aquí los contornos de la cesta deben ajustarse a la forma abombada que aparece en el cuadro.

La cesta y las frutas acabadas. Seguro que usted es ya capaz de llegar a un resultado parecido, al menos en los contornos generales del dibujo.

DIBUJAR DE NUEVO

Un complemento interesante a este ejercicio puede ser dibujar de nuevo todos estos elementos agrupados en el mismo orden que ocupan en el cuadro. Es fácil porque todos ellos pueden dibujarse a partir de un cuadrado de igual tamaño. La única proporción que hay que cuidar es la distancia que los separa.

Nada más sencillo de dibujar que una fruta. O, como en este caso, un tomate: un esquema circular en el que encaja perfectamente, como en las páginas anteriores vimos en el ejemplo de la cesta y los limones. Pero la corrección de este círculo no basta: hay que observar atentamente el perfil real de la hortaliza, y representarlo.

Otros ejemplos

Los esquemas son la base del dibujo. Nunca se insistirá lo bastante en esto: cualquier forma real se puede representar a partir de esquemas simples como los que acabamos de estudiar. La cuestión no es buscar objetos que tengan una forma elemental, sino descubrir las formas elementales en todos y cada uno de los objetos y las figuras que nos salgan al paso. Esto no es en absoluto difícil una vez que nuestra vista y nuestra imaginación están bien orientadas, listas para captar los esquemas regulares que encierra la realidad. En estas páginas le ofrecemos algunos otros ejemplos de dibujo a partir de formas sencillas. Estos ejemplos parten de formas esquemáticas, pero su acabado va más allá del simple esquema. Tales acabados son cuestión de práctica (que adquiriremos en las próximas páginas) y no serían posibles sin una concepción previa clara y sintética: una concepción esquemática. Los ejemplos propuestos demuestran que la elaboración o complejidad del tema no supone un esquema complicado; todo consiste en saber sintetizar la forma reduciéndola a figuras elementales.

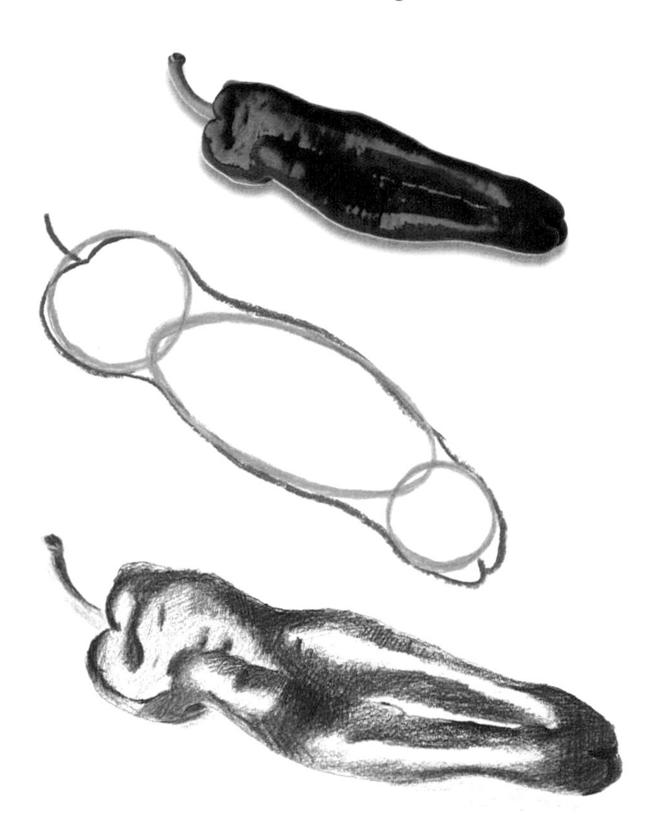

Aunque el pimiento tenga un contorno muy irregular, se puede esquematizar fácilmente mediante la combinación de un óvalo y dos circunferencias. El secreto reside en ajustar la colocación de estas figuras para que puedan crear el contorno.

El esquema anterior era una exageración de lo que debe ser un verdadero esquema útil para el dibujo. En realidad, ese esbozo inicial debe estar dibujado con líneas mucho más suaves para que los trazos no entorpezcan el sombreado posterior.

ESQUEMAS Y DIBUJO DE MEMORIA
Cuando dibujamos de memoria, sin tener frente a nosotros el objeto real, es cuando más útil resulta tener práctica y experiencia en los esquemas de dibujo. Los esquemas dan una pauta sencilla y ajustada de la forma, una pauta fácilmente memorizable. Son como un repertorio de objetos correctamente proporcionados que pueden utilizarse en cualquier momento. Esto nunca podrá sustituir la observación directa, pero facilita la soltura en la ejecución de cualquier dibujo.

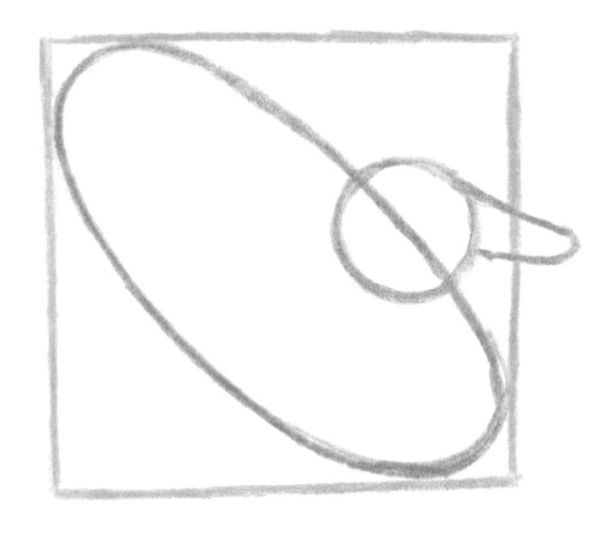

Ensayar y dibujar

Cuando se tiene práctica en el arte de esquematizar los objetos reales, ya no hace falta comenzar por las figuras geométricas y se puede prescindir de ellas para trazar directamente el modelo simplificado del objeto. Si la intención es elaborar ese modelo para llevarlo a un alto grado de acabado, el esquema inicial deberá ser tenue y abreviado, porque un esquema demasiado insistido, realizado a base de líneas cerradas muy marcadas puede entorpecer el trabajo posterior. Éste consiste fundamentalmente en incorporar detalles reales en el modelo básico, tal como un andamio sirve para construir una casa. Acabado el dibujo, el esquema no debe ser visible, del mismo modo que el andamio desaparece una vez terminada la construcción del edificio.

Ahora se trata de un animal cuya forma puede parecer a simple vista compleja, pero su resolución es tan sencilla como cualquiera de las estudiadas hasta el momento, como puede apreciarse en los esquemas.

Lo verdaderamente importante del esquema de este animal es su inclinación: está colocado en diagonal (una diagonal que puede concretarse dibujando un cuadrado e insertando el esquema en su interior). El esquema se compone de un óvalo y un círculo.

Visto el esquema anterior, es muy fácil (tras unos cuantos ensayos, claro está) establecer el contorno del pato y dibujar todos los pormenores de su plumaje.

DE MENOS A MÁS
Cuando se trata de realizar un dibujo completamente acabado en cualquier técnica, el esquema inicial debe ser realizado con trazos muy suaves para que no molesten durante el proceso. En las imágenes adjuntas puede verse cómo los trazos de carboncillo son muy suaves al inicio, cuando hay que fijar la forma básica del casco. Al incluir luces y sombras, los trazos se hacen más intensos y el esquema inicial desaparece bajo las sucesivas aplicaciones de sombreados y difuminados.

Fresco catalán (siglo XII). Museo del Prado, Madrid. Aparentemente, el artista que pintó esta obra tenía un conocimiento muy básico de dibujo. La claridad de las formas sencillas basta para hacer de este fresco un poderoso ejemplo de expresividad artística.

El arte de la sencillez

Los esquemas sirven para construir a partir de ellos un dibujo con todos lo detalles a los que obliga el realismo. Pero esos mismos esquemas, si están realmente logrados, bien encajados entre sí y proporcionados en sus tamaños respectivos, pueden ser perfectamente válidos en sí mismos.
Hubo largos períodos históricos donde lo que hoy entendemos por realismo era un concepto ajeno al mundo del dibujo y la pintura. Nadie esperaba ver en un cuadro una reproducción exacta del mundo real, sino una invención clara y contundente acerca de un tema concreto. El guerrero de la ilustración pertenece a un fresco románico (siglo XII). La pureza de las formas y la fuerza el conjunto se basan en un esquema geométrico perfecto. La enseñanza que nos propone esta obra es que empecemos siempre por las formas más amplias y generales para avanzar después hacia los detalles. Pero no todos los detalles; sólo algunos son significativos: precisamente aquellos que complementan y enriquecen las formas de la composición, aquellos que verdaderamente encajan dentro del esquema general.

LAS FORMAS PLANAS
Los esquemas de dibujo son siempre formas regulares y planas, sin profundidad ni perspectiva. Aunque la profundidad es una cuestión muy importante en dibujo, no es imprescindible representar la tercera dimensión para alcanzar la calidad plástica: existen muchísimos ejemplos de grandes obras artísticas completamente planas, desde el arte egipcio hasta la pintura oriental, pasando por las grandes producciones de la Europa medieval.

Un poco de perspectiva

La perspectiva puede ser algo muy frío y técnico si se estudia en profundidad, pero tomando de ella los principios elementales y algunas formas de aplicación, podemos resolver fácilmente esos problemas que siempre se nos plantean al dibujar un edificio o temas con líneas de fuga. La que estudiaremos aquí es la perspectiva necesaria.

La perspectiva no suele gustar a los artistas. A primera vista parece algo demasiado técnico, más cercano al cálculo o a la ciencia que al arte. La idea de dibujar con escuadra, cartabón y compás, tomando mediadas y calculando distancias no resulta atractiva para la mayoría de pintores. Sin embargo, la perspectiva no es un asunto demasiado complicado. Se basa en unas pocas reglas sencillas que se aplican invariablemente y que no requieren más que una noción clara de los conceptos esenciales.

¿Cuál es la importancia real de la perspectiva? Entendida como un procedimiento de representación a escala de la realidad, su importancia es relevante. Pero entendida como un recurso más dentro de los muchos medios de expresión del dibujante, será más o menos importante en función de los temas que se traten. La perspectiva no interviene en un retrato, ni prácticamente tampoco en un bodegón, pero sí en la elaboración de un paisaje, sobre todo cuando se trata de un paisaje urbano. Es en extremo útil cuando hay que plantear una panorámica extensa, con elementos regulares que se repiten (una calle con árboles, casas y figuras), o cuando el paisaje presenta muchos ángulos y superficies planas. En tales casos, sin un mínimo conocimiento de perspectiva no es posible ni tan sólo plantear el tema mentalmente: los árboles parecen más pequeños en la distancia, pero, ¿cuánto más pequeños?; las fachadas son menos visibles y más esquinadas a lo lejos, pero, ¿cómo dibujar esos ángulos con un poco de lógica? Éstas son dudas fáciles de solventar si conocemos los conceptos básicos de punto de vista, línea de fuga, línea de horizonte... Los conceptos mínimos de la perspectiva indispensable para dibujar.

◆ *La perspectiva es verdaderamente útil cuando hay que dibujar paisajes, en especial paisajes urbanos.* ◆

Leonardo da Vinci, Estudio para La Adoración de los Magos. *Galería Uffizi, Florencia. Este maravilloso dibujo muestra un estudio exhaustivo de perspectiva aplicada a un espacio arquitectónico.*

La línea del horizonte

El primero de los conceptos esenciales del dibujo en perspectiva es la línea del horizonte. El horizonte se halla siempre delante de nosotros, mirando al frente a la altura de nuestros ojos. El ejemplo más explícito lo encontramos en el mar, mirando al frente: es la línea donde confluyen el agua y el cielo, y que, naturalmente, se sitúa a la altura de la vista. Y esto es así tanto si nos situamos a nivel de la playa como elevados sobre las rocas, caminando sobre las dunas o tumbados al sol. Decir "a la altura de nuestros ojos" no significa que estemos siempre viendo ese horizonte, sino que, aunque miremos al suelo, el horizonte está siempre a la altura de nuestra mirada. Las ilustraciones adjuntas lo muestran con toda claridad. La línea del horizonte es fundamental para el dibujo en perspectiva: es la referencia de toda representación en profundidad. Aunque en la mayoría de ocasiones no sea visible en la realidad, para dibujar una vista en perspectiva hay que considerarla siempre, porque de ella depende el aspecto final del dibujo: en función de su elevación, el dibujo parecerá visto desde arriba, desde abajo o a un nivel inferior. El dibujo en perspectiva comienza cuando trazamos la primera y más importante de las líneas: la línea del horizonte.

Es un hecho que, situados junto al mar, la línea del horizonte permanece siempre a la altura de nuestra vista. En perspectiva, la altura del horizonte dibujado determina el nivel del punto de vista del observador.

La altura del horizonte sigue estando al nivel de nuestra vista en todo momento. Por ejemplo, tumbados en la arena: el horizonte desciende y siempre podemos verlo a la altura de la mirada.

NUESTRO PUNTO DE VISTA

El punto de vista es, como se puede adivinar, el lugar desde el que observamos el paisaje o cualquier otro tema. Puede ser muy bajo, si miramos a ras de suelo o, por el contrario, estar muy alto cuando el espectador se encuentra en la cima de una montaña. En cualquier caso, la elevación del punto de vista siempre coincide exactamente con el nivel de la línea del horizonte, y éste es otro de los conceptos sencillos pero fundamentales que debemos retener.
Toda representación en perspectiva depende de la correcta aplicación de la noción de punto de vista en el dibujo.

El punto de fuga

Otro concepto básico, que seguramente le sonará familiar, es el punto de fuga. Éste está siempre situado sobre la línea del horizonte; es el lugar donde convergen las líneas paralelas perpendiculares a ese horizonte. Líneas como los márgenes de un camino que se aleja, los cables del tendido eléctrico situados a ambos lados de ese camino o las aristas de las fachadas de las casas que podamos ver a lo largo de ese mismo camino. Líneas, en definitiva, como las indicadas en las ilustraciones adjuntas. El lugar del punto de fuga sobre el horizonte coincide con el nivel y la colocación del punto de vista, de manera que si cambiamos nuestro punto de vista, el punto de fuga se desplaza con nosotros. En el mundo real, los puntos de fuga cambian constantemente, pero en el reino de la perspectiva, el punto de fuga debe determinarse desde el principio y mantenerse ahí durante todo el proceso de dibujo.

La manera más sencilla de comprobar la convergencia de las líneas de fuga en el horizonte y frente a nuestros ojos, es situarnos en el medio de un camino para comprobar cómo los márgenes se proyectan y convergen hacia un punto concreto en el horizonte.

También el punto de fuga se desplaza con nosotros: si nos movemos hacia el linde de la carretera, la convergencia de las líneas de fuga se desplazará también, colocándose justo frente a nosotros y siempre sobre la línea del horizonte.

LA PERSPECTIVA: UNA REPRESENTACIÓN IMAGINARIA

Hemos dicho que en el punto de fuga se reúnen las líneas que son paralelas entre sí. Pero, ¿dónde están esas líneas en la realidad? No se hallan ahí: las imaginamos; imaginamos que la fachada de la casa se extiende hasta el horizonte, y que el camino es una recta que también llega hasta ese horizonte. Con este ejercicio de imaginación podemos dibujar la inclinación correcta de la fachada, el estrechamiento preciso del tramo de camino o carretera visible y, en general, la disminución de todas las dimensiones. La perspectiva es una construcción imaginaria que sirve para representar un efecto muy real: la profundidad del espacio.

Uno o dos puntos de fuga

El punto de fuga puede no ser único. Lo es indudablemente cuando contemplamos el camino o las vías del tren justo de frente, o cuando la casa está colocada con su fachada paralela a nuestra vista. Pero siempre que nos situemos oblicuamente, mirando la casa desde una de sus esquinas, comprobaremos que las líneas de una de las fachadas fugan hacia un punto concreto en el horizonte, mientras que las líneas de la otra fachada se dirigen a otro diferente. Igual que si nos situamos en un cruce de caminos: un camino se aleja hacia la derecha y el otro hacia la izquierda, proyectándose hacia distintos puntos de fuga . Según sean uno o dos los puntos de fuga dentro de una composición, la perspectiva será: paralela (un solo punto de fuga) u oblicua (dos puntos de fuga). En los esquemas que se adjuntan a continuación se ilustran estos dos casos. Observe cómo se han dibujado ambos cubos y comprobará que su construcción no entraña ninguna dificultad.

En estos esquemas puede ver los procesos para desarrollar un cubo en perspectiva paralela (izquierda) y oblicua (derecha). Ambos puede realizarlos a mano alzada sin necesidad de complicarse el trabajo con escuadras y cartabones. En el caso de la perspectiva paralela, se trata de dibujar un cubo proyectado sobre un punto de fuga. En perspectiva oblicua, el cubo se proyecta sobre dos puntos de fuga.

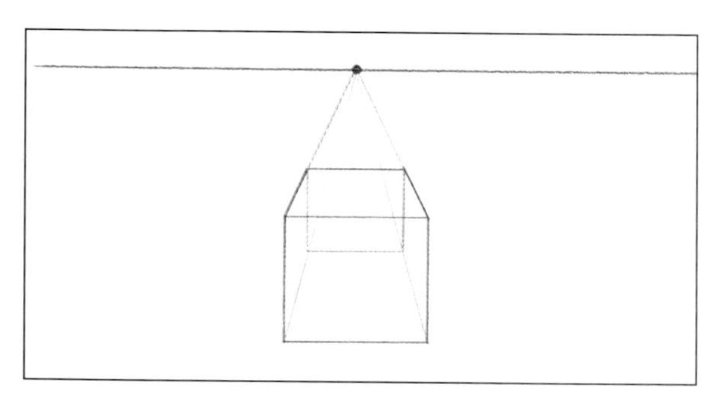

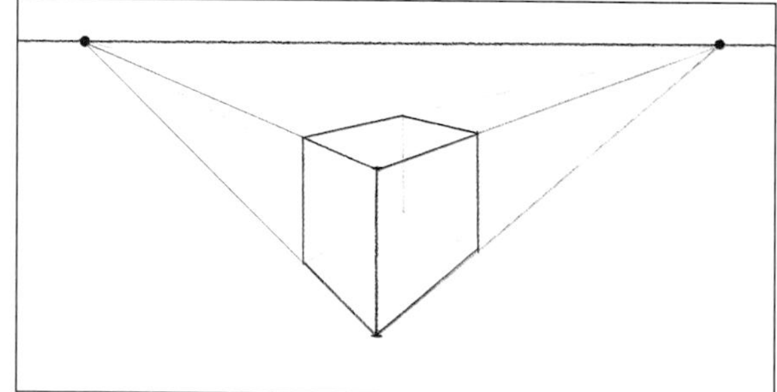

LA ALTURA DEL HORIZONTE
A la hora de dibujar en perspectiva hay que procurar no trazar la línea del horizonte ni demasiado alta ni demasiado baja. De lo contrario, la representación quedará algo desvirtuada. En el primer caso parecerá un dibujo "a vista de pájaro" y en el segundo la visión será demasiado rasante. Lo mejor es colocar el punto de fuga en la zona intermedia del papel.

Éste es uno de los típicos temas que exigen del dibujante un conocimiento siquiera superficial de las nociones de perspectiva. Se trata de una perspectiva de un solo punto de fuga, una perspectiva paralela fácil de plantear.

En el dibujo puede apreciar todavía las líneas de fuga que han servido para organizar la representación en perspectiva. La perspectiva soluciona la distribución ordenada de los objetos y la reducción proporcional de sus tamaños conforme se alejan del primer plano.

El punto de fuga invisible

En la mayoría de las ocasiones el punto de fuga no es fácil de localizar, y, aun siendo localizable, cae fuera de los márgenes del papel de dibujo. Lo normal es ir dibujando lo que vemos sin atender a las consideraciones de la perspectiva. Pero es muy importante que, en caso de que existan dificultades de comprensión de las distancias y los tamaños, estudiemos el tema en busca de las líneas de fuga básicas y del punto o puntos a los que tienden. En el caso de la perspectiva paralela, es lógico que los puntos de fuga queden fuera del encuadre, pero eso no implica que podamos ignorar cuál es la proyección de las líneas principales. En las imágenes que aparecen en esta página, no se aprecian puntos de fuga, pero a la hora de dibujar se ha tenido muy en cuenta la dirección e inclinación de las líneas de fuga.

Este tema parece, a primera vista, completamente ajeno a la perspectiva, pero en realidad se trata de una vista en perspectiva oblicua: mientras que la mesa fuga hacia un punto situado fuera del margen derecho del encuadre, la proyección de las sombras lo hace hacia la parte izquierda.

En el dibujo no apreciamos líneas de fuga, pero la colocación de las macetas y la posición de las sombras ha sido establecida teniendo muy en cuenta la visión en perspectiva oblicua.

MÁS DE DOS PUNTOS DE FUGA

Como curiosidad, vale la pena señalar que existen perspectivas basadas en tres puntos de fuga. Se trata de perspectivas vistas desde muy abajo o desde muy arriba, en las cuales los objetos no sólo disminuyen al alejarse hacia el horizonte sino también al proyectarse hacia el cielo o hacia la tierra. El ejemplo típico es un rascacielos visto desde muy arriba o desde su misma base.

Nada parece indicar que en este dibujo exista un planteamiento en perspectiva. Sin embargo, para conseguir el ajuste de los troncos y su posición respecto al suelo, ha sido necesario hacer un cálculo de perspectiva: una línea de fuga que se dirige hacia el margen derecho del papel.

Ilustración para un tratado de perspectiva de Jan Vredeman de Vries (1605). De Vries fue uno de los grandes estudiosos de la perspectiva. En la época en que se publicó su obra, la perspectiva era una disciplina obligada para todo artista.

Cuando arte y perspectiva iban de la mano

Hoy el experto en perspectiva es el delineante, el proyectista, o el técnico en diseños industriales. Muy pocos artistas sienten por la perspectiva una pasión comparable a la que mostraron los grandes creadores del Renacimiento y el barroco. No es que los artistas actuales sean más negligentes o menos cuidadosos con sus obras; lo que ocurre es que la perspectiva hace mucho que dejó de ser una novedad y un estímulo para la inventiva creadora. Sin embargo, todo dibujante debe ser capaz de resolver correctamente una perspectiva, porque en ella se basan gran parte de sus posibilidades creativas y es una garantía de que el dibujo no contendrá errores graves. En las ilustraciones de esta página se puede comprobar el fervor con que artistas de la talla de Piero della Francesca planteaban una obra enteramente basada en la perspectiva o cómo el holandés De Vries calculaba de modo meticuloso la posición de las figuras en un entorno enteramente diseñado mediante cálculos de perspectiva.

Piero della Francesca, Políptico de san Antonio (detalle). Galería Nacional, Perugia. Durante el Renacimiento, la perspectiva fue un gran estímulo creativo. A los pintores les atraía no sólo la posibilidad de una representación más realista, sino también las nuevas opciones compositivas que abría esta novísima práctica.

Dibujar es componer

Saber dibujar quiere decir, entre otras cosas, ser capaz de acomodar armoniosamente las formas en el formato del papel. Quiere decir saber componer. Una composición debe parecer natural, fruto de la espontaneidad; pero para llegar a esto hay que medir, comprobar distancias, decidir tamaños. Con la práctica, estos cálculos se convierten en un verdadero instinto artístico.

La composición de un dibujo acostumbra a pasar inadvertida: los visitantes de una exposición suelen admirarse de la perfección del trabajo minucioso, pero raramente se detienen a considerar las virtudes de la composición. Es normal que sea así, porque la composición de un dibujo o pintura, cuando es buena, no se ve, del mismo modo que la complicada tramoya de bastidores de un teatro queda oculta durante la representación de la obra. La composición es lo que sostiene y organiza los detalles de una obra y le da un aspecto agradable, atractivo e interesante.

No es nada fácil definir la composición. Algunos grandes pedagogos del dibujo han llegado a afirmar que en arte casi todo puede ser aprendido de un profesor, pero una de las cosas que es imposible enseñar a un alumno es la composición. La composición es la manera de ordenar, organizar y colocar las formas sobre el papel. Y hay que hacerlo de tal manera que el resultado parezca natural y espontáneo, tal como un músico interpreta con aparente facilidad una pieza de gran dificultad técnica. Se aprende a componer dibujando, dibujando mucho, ensayando soluciones, cometiendo errores, estudiando a otros artistas y aprendiendo de nuestros propios fallos. Dicho todo lo anterior, hay que añadir que algo sí puede decirse acerca de la composición, sobre el ajuste del tamaño, la proporción, el encuadre y la armonía del conjunto. Porque éstos son los factores decisivos en toda composición artística, factores que pueden ser estudiados y aplicados. Tanto si el dibujo posee una línea sencilla como si es más complejo, debemos elegir los objetos, considerar las anchuras, las distancias y los tamaños, descubrir lo significativo, suprimir lo insignificante, animar lo inerte. En una palabra: componer.

◆

La composición de un dibujo o pintura, cuando es buena, no se ve, del mismo modo que la compleja tramoya del teatro desaparece durante la representación de la obra.

◆

Charles Le Brun. Apoteosis de Hércules. *Museo del Louvre, París. Éste es un estudio de preparación para una pintura de grandes dimensiones. Pueden distinguirse las líneas que utilizó el artista para organizar las figuras y componer la escena.*

Medidas y proporciones

Cuando paseamos por el campo o por la calle, cuando observamos unas frutas o un conjunto de objetos buscando un buen tema para dibujar, cuando consideramos la manera de representar todos esos posibles motivos, estamos componiendo el dibujo mentalmente. Mejor dicho, estamos realizando una operación previa a la composición y el dibujo: comparar dimensiones, calcular medidas y espacios percibiendo las proporciones de las partes con respecto al conjunto. Se trata de un cálculo mental aproximado que nos permite imaginar qué apariencia tendrá el motivo sobre el papel. Pero cuando pasamos a la acción y empezamos a dibujar, hay que verificar esos cálculos en la práctica: se trata de comparar distancias, de ver dimensiones y proporciones de manera más ajustada. Para ello se utiliza un recurso muy útil: se toman medidas con el mango del lápiz. Es muy sencillo: nos situamos ante el modelo con el lápiz en la mano y manteniendo el brazo extendido; las dimensiones del modelo se señalan sobre el lápiz (tal como se muestra en la ilustración), y se comprueba si la anchura del tema es la mitad, un tercio, una cuarta parte o cualquier otra fracción de la altura. Esta verificación se aplica al dibujo mediante el ajuste de sus proporciones.

Las medidas básicas del modelo se toman sobre el lápiz: señalando la dimensión sobre el mango con el pulgar. Lo importante es comprobar qué proporción guarda una dimensión con otra; en la ilustración, la anchura del ramo es la mitad de la altura y la anchura del jarrón es un tercio.

EL PROCESO DE MEDICIÓN

En primer lugar puede tomarse la altura total del motivo y, a continuación, la medida de su máxima anchura. Estas dos medidas básicas permiten establecer la dimensión total del tema sobre el papel. No hace falta decir que estas medidas no son exactas ni es necesario que lo sean, pero permiten establecer la proporción de las partes con respecto al conjunto más que una reproducción exacta de todas las dimensiones.

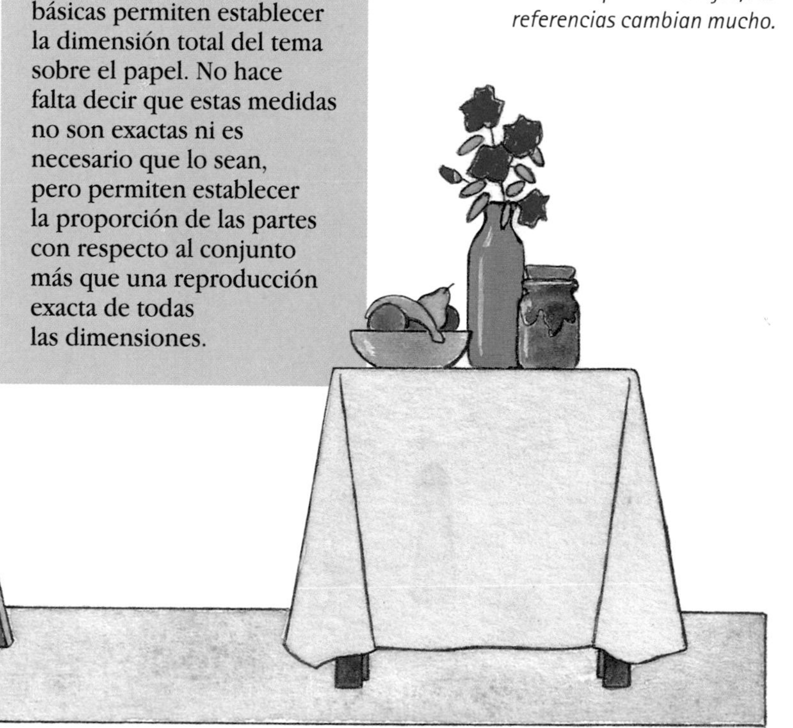

Las medidas se deben tomar sosteniendo el lápiz frente a la vista, con el brazo siempre extendido y cuidando de no alterar nuestra posición: tomadas desde un poco más cerca o un poco más lejos, las referencias cambian mucho.

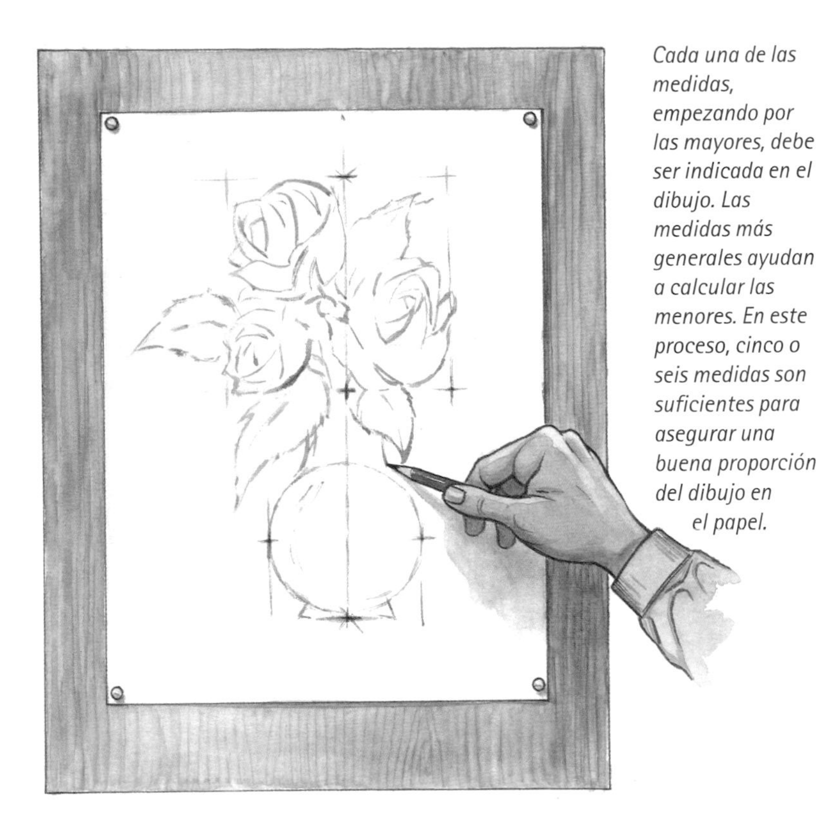

Cada una de las medidas, empezando por las mayores, debe ser indicada en el dibujo. Las medidas más generales ayudan a calcular las menores. En este proceso, cinco o seis medidas son suficientes para asegurar una buena proporción del dibujo en el papel.

Las referencias sobre el papel de dibujo

En la ilustración adjunta se muestra cómo aparecerían las referencias anteriores aplicadas al dibujo. El número de medidas que se tomen debe ser el suficiente para que el tamaño del dibujo quede bien proporcionado en el formato del papel: normalmente, bastan cuatro o cinco medidas generales. A partir de estas dimensiones, siempre es posible añadir alguna más si no podemos deducir a simple vista cuál debe ser el tamaño de algún detalle. Esta fase inicial del trabajo debe ser progresiva y las medidas iniciales son las más importantes, porque son las que fijan la proporción total del dibujo. Al transportar las medidas al papel hay que procurar que el dibujo quede bien centrado en la hoja, en una adecuada proporción con respecto a las dimensiones del formato.

La mirilla

Para centrar y encuadrar el tema, algunos dibujantes y pintores utilizan un recurso muy práctico, que consiste en recortar dos tiras de cartulina negra en ángulo recto; con ellas podemos construir cuadrados y rectángulos de distintas proporciones y utilizarlos a modo de mirillas para prever la situación del motivo en el papel. La proporción de la mirilla debe coincidir con el formato que se va a utilizar: apaisado, cuadrado o vertical, para tener una visión real de cuál puede ser la apariencia del tema una vez planteado sobre la hoja de dibujo. No hay que olvidar que la apariencia del tema a través de la mirilla cambiará según nuestra posición; por lo tanto, conviene investigar diferentes colocaciones antes de dar por bueno un encuadre.

Es muy fácil construir una mirilla de encaje como ésta mediante dos tiras en ángulo recto de cartulina negra.

El ajuste del dibujo al papel

El principio básico de toda buena composición es el ajuste de las dimensiones del dibujo al formato y tamaño del papel. Cualquier tema exige, de entrada, una decisión básica: ¿vertical o apaisado? Una primera decisión sencilla que viene claramente determinada por la forma del tema, a la que siguen otras acerca de las dimensiones totales del dibujo y su relación con el espacio del papel dejado en blanco. La noción básica que es preciso considerar es que debe haber un equilibrio entre el espacio dibujado y el espacio en blanco. Esta relación equilibrada no se puede expresar en medidas precisas, es una cuestión intuitiva: el dibujo no debe ser demasiado pequeño, para que no "baile" en el espacio en blanco del papel, ni tan grande que parezca aprisionado entre los límites de la hoja; el dibujo tiene que caber holgadamente sin dejar demasiados espacios. Pero quizá la mejor explicación sea la visual: observe las imágenes adjuntas y vea algunos casos típicos en los que el dibujo no acaba de ajustarse bien al formato, y un ejemplo de una composición donde las zonas vacías están en perfecto equilibrio con las formas del dibujo.

El retrato de esta niña puede encajarse en el papel de muy distintas formas; algunas soluciones son mejores que otras. En las ilustraciones inferiores pueden verse algunos fallos típicos: un dibujo demasiado pequeño (arriba, a la izquierda), demasiado grande (arriba, derecha), demasiado cercano al límite superior (abajo, izquierda). La imagen inferior derecha muestra un buen encaje del tema.

LA FIGURA Y EL FONDO
La relación entre figura y fondo (entendiendo por figura cualquier forma dibujada) se crea desde los primeros trazos del dibujo. Hay que tomar conciencia de esta relación y buscar desde el principio un equilibrio entre ambos factores. La mejor manera de conseguirlo es trabajar sin prisas y dedicar todo el tiempo que sea necesario a la primera fase del dibujo explicada en las páginas anteriores: la toma de medidas y el ajuste de las dimensiones totales. Las líneas del encaje inicial son las más importantes, pues es en este momento cuando podemos comprobar el equilibrio de las formas y el fondo, y rectificarlo con facilidad, si fuera necesario.

Un tema (un paisaje, en este caso) son muchos temas a la vez, muchos encuadres posibles que hay que considerar: apaisados, verticales, cuadrados, etc. Cada uno de estos encuadres dará lugar a una obra de composición y naturaleza enteramente distinta.

Encuadre y composición

Un tema o motivo pictórico, ya sea un paisaje, una naturaleza muerta o una figura, son muchos temas a la vez. Encuadrar es poner límites al fragmento de realidad elegido como tema. El encuadre no sólo tiene que ver con el tema elegido, sino también con el espacio que rodea a éste en el cuadro. Encuadrar es elegir lo que más interesa de entre la infinita variedad de formas, espacios y colores que se nos presentan. Es acotar, decidir los límites de la composición.

Saber elegir el encuadre más adecuado, el de mayores posibilidades pictóricas, es esencial. De ello depende gran parte del atractivo visual de la obra, dado que todo motivo siempre ofrece un aspecto característico, una faceta más relevante y de mayor interés. Los paisajes que ilustran esta página están bien encuadrados, bien compuestos, se hallan listos para ser pintados. Los esquemas que acompañan a estas fotos muestran cuáles son las líneas compositivas básicas de tales encuadres, las líneas por las que deberíamos empezar a dibujar estos temas bien encuadrados.

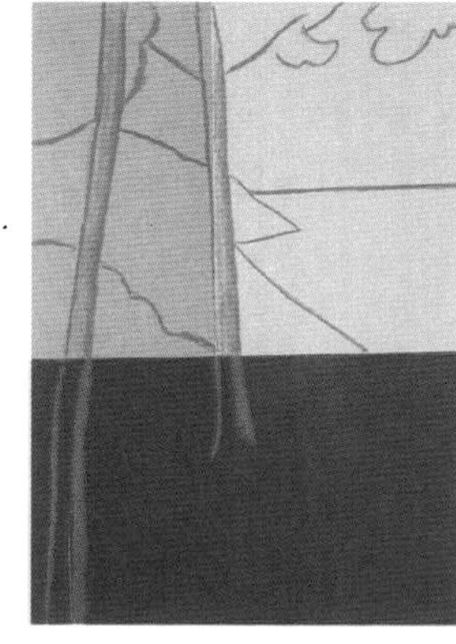

Estos tres temas presentan encuadres interesantes, y pueden ser compuestos de la manera indicada en los esquemas adjuntos. Los espacios y líneas básicos de la composición están indicados mediante colores.

La interpretación

La interpretación abarca todos los factores propios de la composición de un dibujo, y se basa en la libertad que debemos tener siempre frente a cualquier tema. Como planteamiento general, se puede decir que la interpretación se basa en tres criterios: aumentar algunos aspectos del tema, disminuir otros y suprimir todo aquello que sea irrelevante. Estos aspectos pueden hacer referencia al tamaño, al color, a la línea, la forma o la luz. Aplicar estos criterios depende en primer lugar de la impresión de conjunto que recibimos frente al tema. Si esa impresión es lo suficientemente sugerente para que nos decidamos a trabajar, deberemos expresarla enfatizando los aspectos esenciales, reduciendo los secundarios y suprimiendo los accesorios o simplemente molestos. Todo esto quiere decir, en la práctica, que hay que ensayar cuantas soluciones compositivas sean necesarias hasta dar con el arreglo de líneas y formas que posea verdadera fuerza propia, un auténtico valor artístico.

En temas como éste, tan sugerente en cuanto a líneas, formas y colorido, la interpretación libre debe prevalecer sobre la copia literal. Esta interpretación puede llevarse a cabo tanto por los diversos medios de dibujo como de pintura.

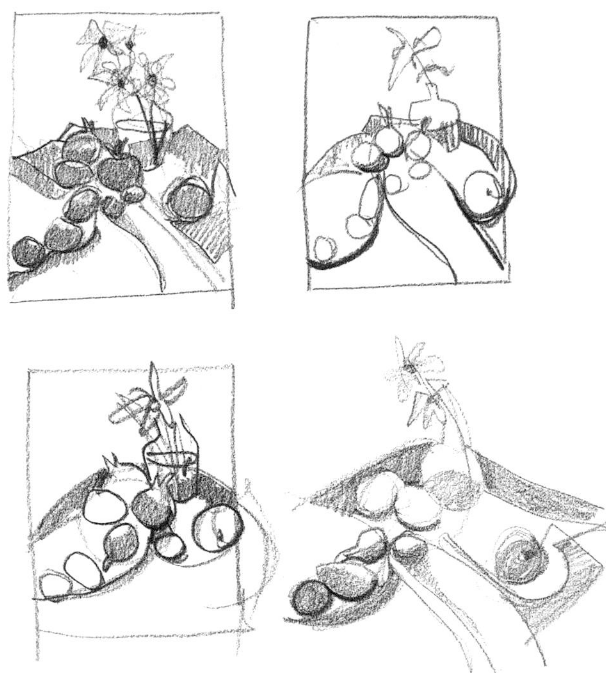

Estos dibujos preparatorios son una perfecta muestra, mejor que cualquier explicación teórica, de lo que debe ser la interpretación de un tema: la libre combinación de los elementos para lograr un resultado interesante en sí mismo.

De los ensayos anteriores se llega a una síntesis de dibujo perfectamente válida para ser interpretada mediante cualquier procedimiento de dibujo o de pintura.

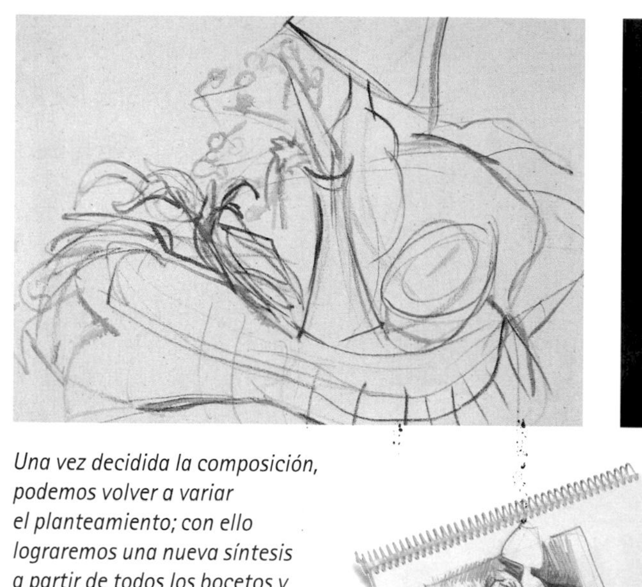

Una vez decidida la composición, podemos volver a variar el planteamiento; con ello lograremos una nueva síntesis a partir de todos los bocetos y ensayos realizados previamente.

A veces, los rincones más familiares y frecuentados resultan realmente sugerentes, si los observamos desde un punto de vista artístico, buscando en ellos una composición interesante mediante algunos bocetos.

Las inclinaciones del florero y la lámpara sugieren soluciones compositivas que vayan más allá de la copia literal del tema; a partir de esta sugerencia, se pueden ensayar múltiples soluciones dejando volar la imaginación.

"TODO ES COMPOSICIÓN"

Esta afirmación se atribuye al gran dibujante y pintor francés Henri Matisse; y hay que entenderla literalmente: todo lo que hace el artista es componer, contrastar valores, tamaños, líneas, formas, tonos, etc. Componer es crear, interpretar la realidad según una visión personal, enfatizar lo que importa, lo que es esencial en el tema, olvidar lo accesorio. En dibujo artístico toda libertad es legítima si persigue un fin expresivo y de fuerza visual.

Un bodegón es una composición en sí misma, un ejercicio de organización de elementos de distinto tamaño, forma y color. La armonía lograda es sólo un punto de partida para el trabajo.

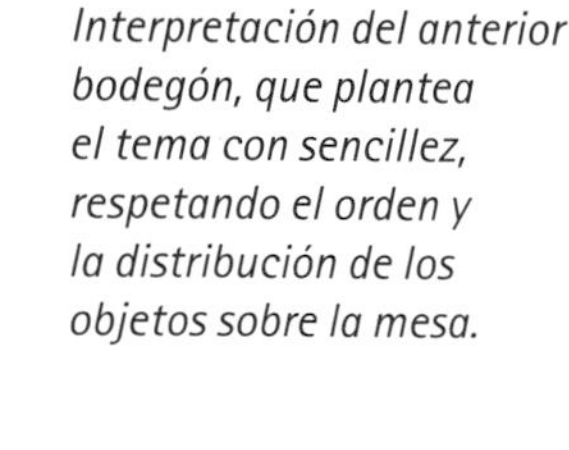

Interpretación del anterior bodegón, que plantea el tema con sencillez, respetando el orden y la distribución de los objetos sobre la mesa.

Ésta es una interpretación bastante más literal que las anteriores, que respeta el orden de la composición real y la interpreta con enérgico trazo.

Proceso de encaje y composición de un tema

Un sencillo ejemplo práctico puede ilustrar algunos de los aspectos fundamentales estudiados acerca de la composición del dibujo. El tema es una escena a contraluz en que las formas están reducidas a siluetas. No nos vamos a plantear ningún otro problema al margen de las cuestiones de encaje, proporción y composición del tema. Todo puede resolverse a base de trazos y manchas de carboncillo, el problema es dónde colocar esos trazos y manchas para lograr una composición correcta y armoniosa. Veámoslo.

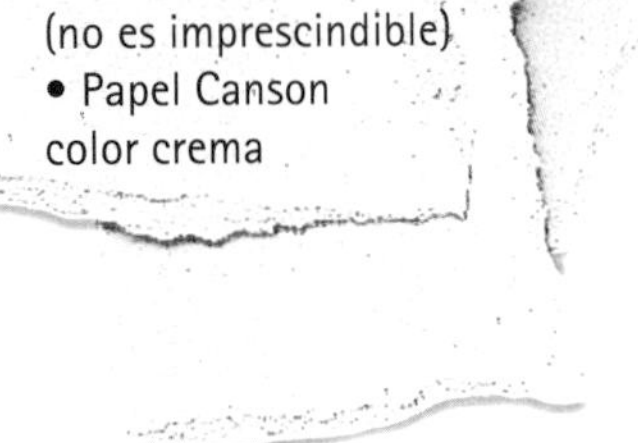

MATERIAL

- Barra de carboncillo
- Lápiz de carbón
- Una barrita de creta blanca (no es imprescindible)
- Papel Canson color crema

1 Estas gruesas líneas de carboncillo corresponden a la toma de medidas del tema: la longitud de cada línea, su inclinación y la distancia entre ellas responde a una atenta toma de medidas mental. Si conseguimos definir así la composición, habremos logrado lo más importante de la realización del dibujo.

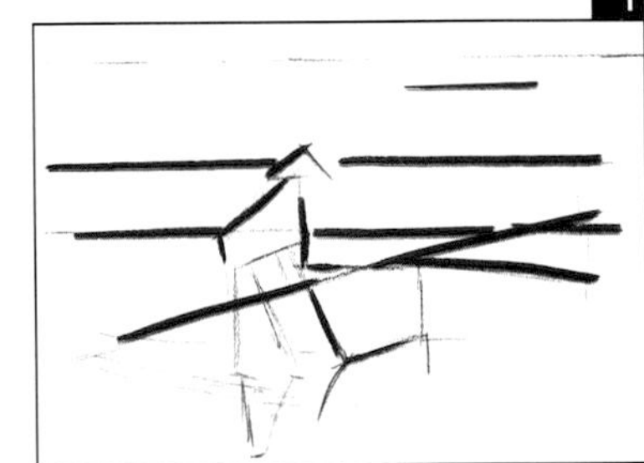

2 A partir del esquema básico anterior, es bastante sencillo definir la forma de la silueta de la figura y de la embarcación, dado que sus dimensiones están perfectamente claras. Lo hacemos con el lápiz carbón, que nos permite un trazo mucho más fino que la barra de carboncillo.

3 Hemos difuminado el fondo y ahora repasamos las sombras de las olas para que el fondo no quede demasiado indefinido; asimismo, la silueta de la figura y la barca se han oscurecido con el lápiz carbón.

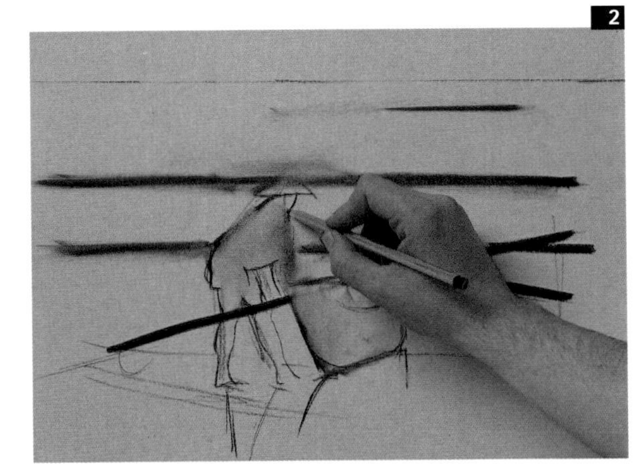

4 Éste es el resultado final. Hemos añadido algunos toques de creta blanca para realzar los brillos; esto no es indispensable, pero sirve para redondear el acabado y crear el efecto de luz de atardecer. Lo esencial de este ejercicio es comprender la importancia de un buen encaje.

TÉCNICAS UTILIZADAS

◆ Encaje ◆
◆ Medidas y proporciones ◆
◆ Encuadre ◆
◆ Difuminado ◆

Las luces y las sombras

El sombreado es el método más directo de representar el volumen de los objetos reales. Junto con el volumen, el espacio, la sensación de profundidad y la atmósfera, son cuestiones asociadas al sombreado.

El sombreado es una de las facetas esenciales de todo dibujo. No hay nada malo en dibujar sólo a base de líneas, de contornos, realzando las siluetas sin ninguna representación de lo que contienen, es decir, del volumen. Pero el volumen, lo queramos o no, es lo que da realidad a la representación, lo que confiere cuerpo a los objetos y las figuras y aquello que nos las hace cercanas y presentes. Ningún dibujante puede ignorar los métodos y técnicas por los cuales es posible dar realidad a las representaciones por medio del volumen. Y el volumen sólo puede representarse en su integridad mediante el sombreado, que no es más que la resolución del efecto de la luz sobre los objetos. Sólo cuando se tiene una idea clara de qué es y cómo se realiza el sombreado, es posible pasarlo por alto si nos conviene, a sabiendas de que ese conocimiento hará de nuestros dibujos de pura línea realizaciones verdaderamente convincentes.

Ningún dibujante puede ignorar los métodos y técnicas por las cuales es posible dar realidad a las representaciones mediante el volumen.

La idea general de sombreado es muy sencilla: se trata de una transición progresiva de los tonos claros a los oscuros, y viceversa. Pero esta idea básica tiene distintas aplicaciones según el tipo de técnica empleada. En esta sección vamos a considerar las posibilidades de cada uno de los procedimientos de dibujo en la realización del sombreado. En todos ellos se plantea la cuestión de los valores o grados de luz y de sombra, y ésta es la cuestión esencial. Una vez bien entendida, es fácil resolver dibujos correctamente sombreados mediante carboncillo, sanguina, cretas, lápices de colores o la técnica del pastel. En último término, la cuestión de los valores nos puede llevar hasta el umbral mismo de la pintura, puesto que los valores son tonos, y saber organizar tonos es casi tanto como saber organizar colores.

El sombreado es un aspecto esencial de la práctica del dibujo. Gracias a él conseguimos que la representación adquiera volumen, plasticidad, atmósfera y vida propia.

El sombreado: valores

Sombrear es dar volumen, definir el cuerpo de los objetos, crear sensación de profundidad. Todo eso se consigue representando las luces y las sombras en los objetos. Esta representación depende siempre del medio de dibujo utilizado. No es lo mismo sombrear a carboncillo que a pastel; algunos medios tienen más flexibilidad que otros, más sutileza, o bien son más enérgicos y permiten un mayor contraste entre los claros y los oscuros. Las diferencias entre medios son siempre de valoración, es decir, de gradación de tonos. Los valores, en efecto, son grados de luz y de sombra. En el caso del lápiz y del carboncillo, se trata de grados de grises, y por lo que respecta a los demás medios, hablamos de intensidades del color característico del medio en cuestión. Lo que tienen en común todas las técnicas, a la hora de sombrear, es la posibilidad de obtener con ellas degradados, es decir, transiciones de claro a oscuro, de suave a intenso, que son las que permiten representar las sombras.

EL SOMBREADO A LÁPIZ
Todas las cuestiones referentes a la valoración y el sombreado se pueden estudiar con claridad en el sombreado a lápiz, que es, posiblemente, el más sencillo y el que puede dar la pauta de las técnicas de sombreado del resto de los procedimientos de dibujo. Combinando lápices de distintas durezas, es posible disponer de una gama de valores muy amplia: desde los grises más tenues hasta sombras casi negras. Las imágenes adjuntas ilustran el proceso de sombreado de un cilindro, sobre el que se ha indicado previamente la zona que ocupa cada valor de sombra. Estos valores están, a su vez, recogidos en la gama que aparece bajo estas líneas: una serie más que suficiente para la mayoría de los trabajos a lápiz.

TÉCNICAS UTILIZADAS

◆ Encajado ◆
◆ Sombreado a lápiz ◆

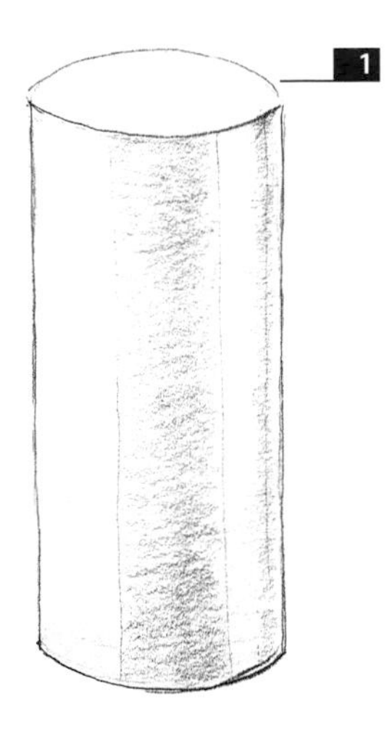

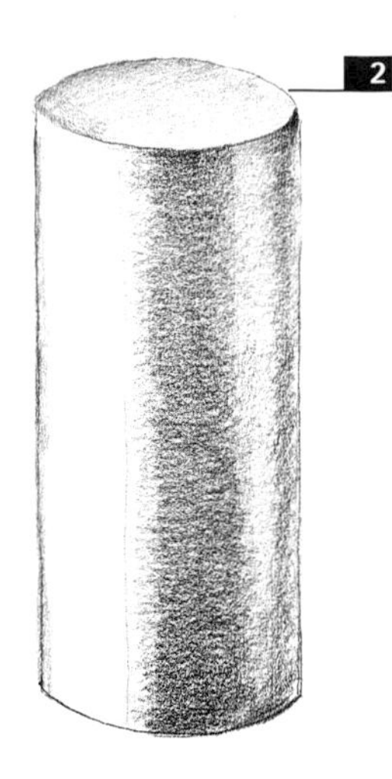

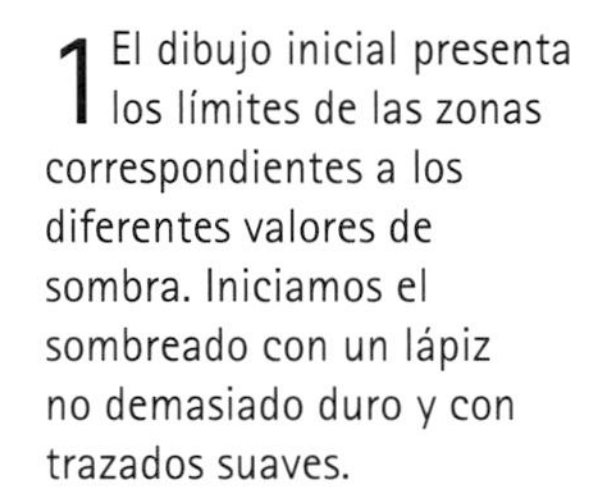

1 El dibujo inicial presenta los límites de las zonas correspondientes a los diferentes valores de sombra. Iniciamos el sombreado con un lápiz no demasiado duro y con trazados suaves.

2 Del lápiz más bien duro, pasamos a un lápiz blando para lograr sombras más oscuras. Es importante que la transición entre cada uno de los valores sea continua para que la superficie del objeto aparezca adecuadamente redondeada.

3 El resultado del sombreado depende de la acertada selección de valores y de la suave transición de uno a otro, sin cortes ni cambios bruscos de claro a oscuro.

Valoración por degradados o por trazos

Cuando se dibuja a lápiz, el trazo desempeña un papel muy importante, ya que es uno de los pocos medios expresivos que podemos obtener de este utensilio. La función del trazo varía según cuáles sean nuestras intenciones. Entendido como medio de sombreado, el trazo no permite resultados tan suaves y "perfectos" como el degradado, pero ofrece la posibilidad de un trabajo más espontáneo, ágil y enérgico, típico de los bocetos o apuntes. Ambas opciones son correctas siempre y cuando la distribución de los valores de luz y sombra esté bien entendida o, lo que es lo mismo, el volumen quede correctamente explicado. Lo normal, en los degradados, es alternar lápices de diferentes durezas, mientras que en el trabajo mediante trazos lo lógico es resolver el dibujo con un solo lápiz, por lo común de tipo blando.

Éste es un dibujo elaborado mediante degradados, en el que hemos combinado un lápiz duro, del tipo habitualmente utilizado para escribir, y dos lápices blandos.

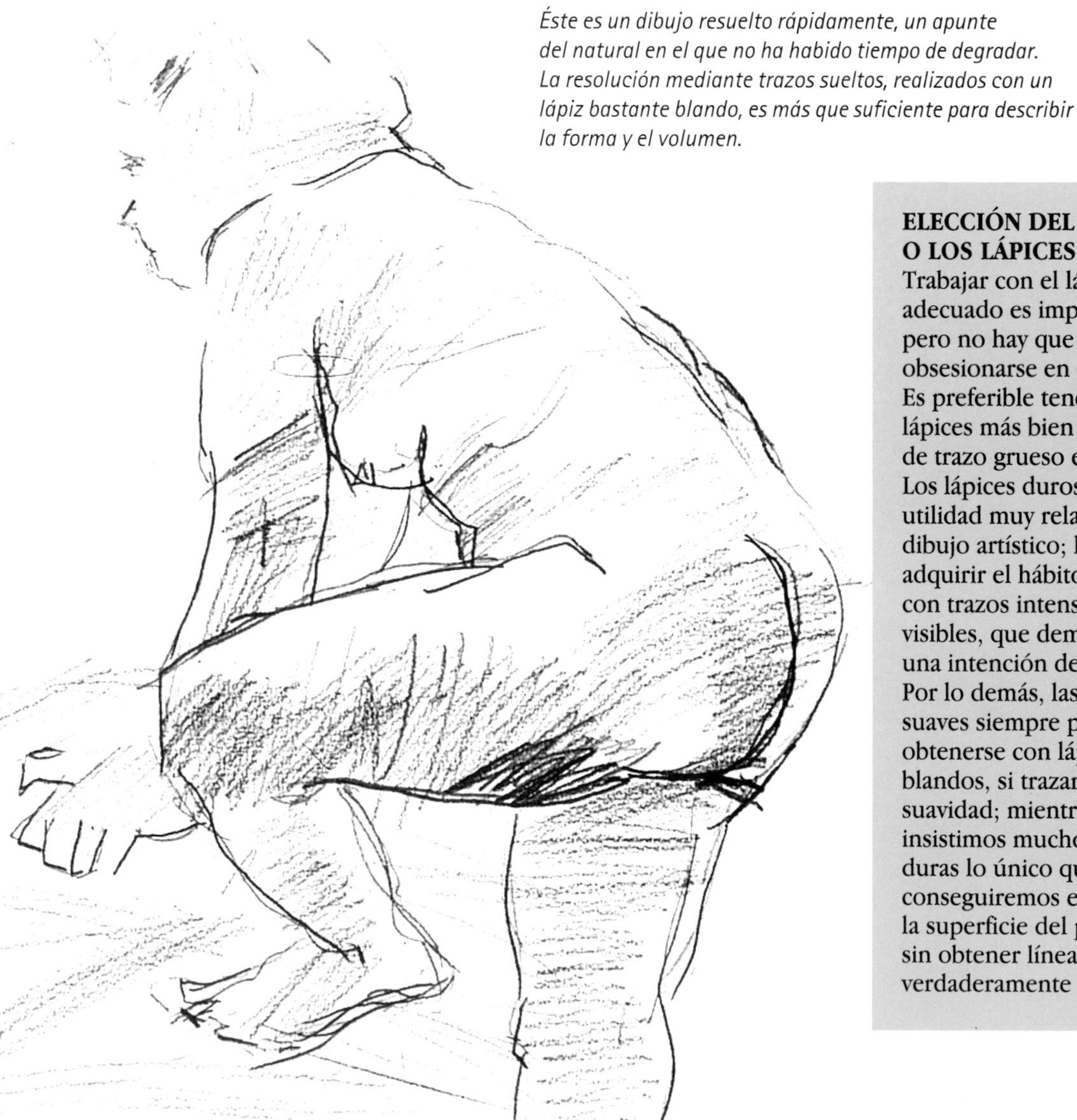

Éste es un dibujo resuelto rápidamente, un apunte del natural en el que no ha habido tiempo de degradar. La resolución mediante trazos sueltos, realizados con un lápiz bastante blando, es más que suficiente para describir la forma y el volumen.

ELECCIÓN DEL LÁPIZ O LOS LÁPICES

Trabajar con el lápiz adecuado es importante, pero no hay que obsesionarse en ello. Es preferible tener a mano lápices más bien blandos, de trazo grueso e intenso. Los lápices duros tienen una utilidad muy relativa en dibujo artístico; hay que adquirir el hábito de dibujar con trazos intensos, bien visibles, que demuestren una intención decidida. Por lo demás, las sombras suaves siempre pueden obtenerse con lápices blandos, si trazamos con suavidad; mientras que si insistimos mucho con minas duras lo único que conseguiremos es hendir la superficie del papel sin obtener líneas verdaderamente intensas.

Sombreado y valoración con carboncillo

El carboncillo es el medio más cómodo para sombrear y valorar. Cuando se tiene un poco de práctica no hay nada más grato y divertido que manchar rápidamente, aquí y allá, difuminando, volviendo a manchar, borrando, etc. Un dibujo al carbón se plantea con muy pocos trazos y se sombrea con escasas manchas hábilmente distribuidas. El resultado puede ser muy libre o muy controlado, según las necesidades y el carácter de cada dibujo, y la gradación de valores puede ser tan extensa o más que trabajando a lápiz. Por otra parte, los sombreados al carboncillo siempre suelen reclamar el difuminado, ya que es muy difícil ir de menos a más (lo que se refiere a la intensidad de la sombra) trabajando sólo a base de trazos. El proceso de degradado es más directo y menos metódico que en el caso del lápiz: se sombrea primero en las zonas más oscuras y se difumina la mancha degradándola hacia las partes más claras.

VISIBILIDAD DE LOS TRAZOS

Si se desea un degradado al carboncillo en el que los trazos desaparezcan completamente en favor de la mancha, el papel debe ser de calidad, tipo Ingres o Canson, con grano y no demasiado fino. Los papeles de superficie lisa o demasiado finos entorpecen el difuminado y en ellos el trazo queda grabado (a menudo el carboncillo los raya) y siempre visible. El grano de un papel para dibujo al carbón favorece la estabilidad de las manchas y garantiza la intensidad de las sombras. En la ilustración adjunta se puede ver las transiciones de claro a oscuro sin rastros de trazos, en un típico degradado al carboncillo.

1 Como ejemplo del sombreado al carboncillo, veamos el dibujo de una lámpara de estudio. El dibujo previo debe ser lo más sencillo posible para que las líneas no interfieran con el sombreado.

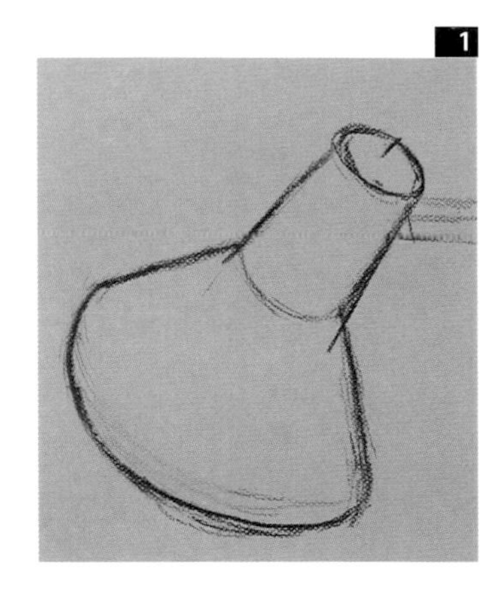

2 Creamos manchas intensas a base de trazos apretados allí donde residen las sombras más oscuras del volumen. Hay que hacer esto con decisión y presionando bien la barrita sobre el papel.

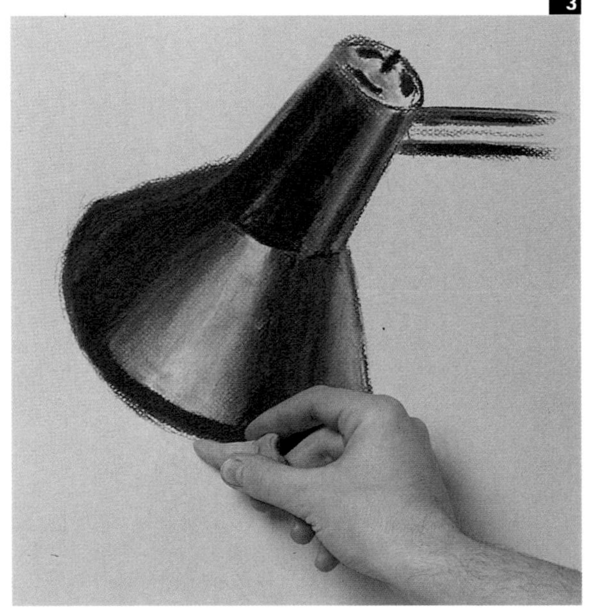

3 Difuminamos las manchas, trabajando de claro a oscuro, dejando casi sin tocar las zonas más claras. En la imagen puede ver que, como toque final, perfilamos el contorno borrando los rastros de carboncillo exteriores al límite del dibujo. Bajo estas líneas se muestra la gama de grises habitual en una valoración realizada al carboncillo.

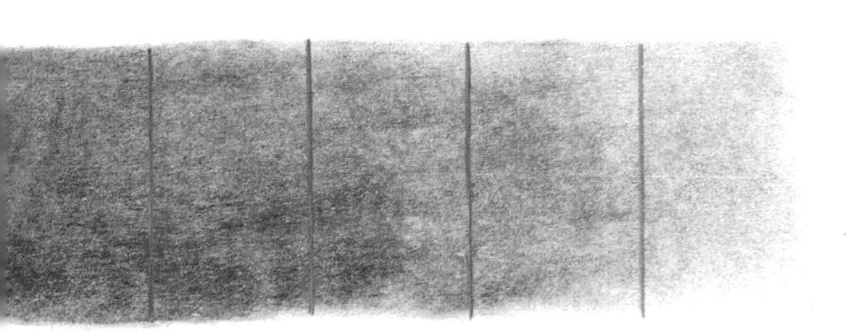

TÉCNICAS UTILIZADAS

◆ Encajado ◆
◆ Sombreado a carboncillo ◆
◆ Difuminado ◆

Difuminados, ¿a mano o con difumino?

No hay una respuesta categórica a esta cuestión. Los dedos y el difumino pueden utilizarse indistintamente. Sin embargo, los resultados varían bastante según se utilice uno u otro medio. El difuminado con los dedos es, sin duda, más directo; el contacto con el papel y el control del degradado son mucho mayores. Por otra parte, el difumino brinda un acabado más minucioso, un degradado más sutil y homogéneo y, sobre todo, permite controlar mejor los límites de las manchas gracias a su punta. Quizá la respuesta correcta sea ésta: utilizar preferentemente los dedos en los degradados más generales y el difumino en los detalles.

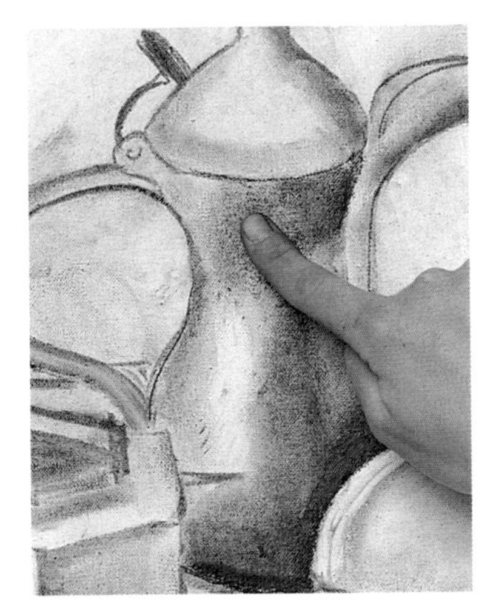

Los dedos son la mejor herramienta para difuminar: el contacto directo con el papel permite mayor seguridad en el degradado. Es la opción más indicada para la creación de sombreados intensos.

Hemos realizado los difuminados de este dibujo al carboncillo con los dedos y también con el difumino; este último utensilio lo hemos empleado tan sólo en las zonas de degradado más suave.

El difumino podemos emplearlo en las superficies que requieran un tratamiento más suave y matizado y donde haya que respetar de modo riguroso los límites establecidos por las líneas del dibujo.

SIEMPRE HAY QUE VALORAR

Los difuminados permiten crear volumen con facilidad, pero puede ocurrir que, a base de difuminar manchas, el dibujo resulte turbio y carente de precisión y definición. Para evitarlo conviene tener una concepción clara de los valores, de las zonas claras y oscuras y de los contrastes entre ellas. Hay que realzar esos contrastes; si lo difuminamos todo por sistema y sin prestar atención a las diferencias entre valores, las manchas se fundirán blandamente unas en otras y la representación del volumen se verá debilitada.

Valoración y sombreado con cretas

Las cretas son medios de dibujo afines al pastel, pero que se utilizan tanto a base de manchas como de trazos. El típico dibujo con cretas se basa en la utilización del negro, el blanco y la sanguina, pero también es habitual trabajar con cretas de otros colores e incluso combinarlas con barras de pastel para conseguir resultados más coloristas. Por tratarse, en realidad, de pasteles duros, las cretas se adaptan muy bien tanto a obras monocromas como coloristas; además, se pueden difuminar y fundir entre sí de forma semejante al carboncillo, por lo que el trabajo de valoración y sombreado es muy similar. Es aconsejable trabajarlas sobre un papel coloreado (de tono discreto) para que la utilización del blanco realce el modelado de las formas. De hacerlo así, el tono más claro ya no será el color del papel y la valoración se extenderá no sólo hacia tonos más oscuros sino también a intensidades más claras. Las cretas son la antesala del dibujo a todo color y el paso de la valoración en blanco y negro al cromatismo de los pasteles y los lápices de color.

El sombreado con cretas debe comenzar simultáneamente por los claros (creta blanca) y los oscuros (creta negra o de color); el color del papel es el que da la entonación de los tonos intermedios.

Trabajando con dos tonos siempre existe la posibilidad de realizar una mezcla para crear valores intermedios; por ejemplo, valores grises que suavizan el contraste entre el blanco y el negro.

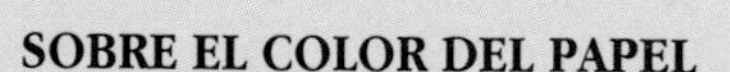

SOBRE EL COLOR DEL PAPEL

El color del papel afecta necesariamente al resultado final. Un color bien elegido facilita el trabajo y realza las tonalidades del dibujo. Cuando se trabaja con una gama reducida de cretas (negro, blanco y algún otro color), hay que evitar colores demasiado oscuros, ya que sobre ellos sólo el blanco puede destacar bien. En general, los colores que siempre suelen dar un óptimo resultado son los tostados claros, los de color crema o siena y los grises claros de distintas tendencias (azulados, verdosos o rojizos). En la gama de valores adjunta se puede observar cómo el color del papel ocupa un lugar intermedio entre los valores claros y los oscuros.

Bajo estas líneas puede ver una gama de valores obtenida con carboncillo y creta blanca sobre papel gris. El color del papel ocupa un lugar intermedio en la gradación de los valores.

El sombreado con cretas tiene una clara sugerencia pictórica y una sutileza de valoración muy superior a la del sombreado con lápiz o con carboncillo.

Cretas, sanguinas y pastel: de los valores al color

Las cretas, y con ellas la sanguina, son la antesala del color. El trabajo con sanguina es muy similar, por no decir idéntico, al dibujo con cretas: normalmente, se utiliza sobre papel de color y puede emplearse sola o en combinación con creta blanca para lograr realces. Tanto las cretas como la sanguina han sido medios muy empleados por los grandes dibujantes a partir del Renacimiento. El pastel es el color pleno que sigue conservando todas las particularidades de los procedimientos de dibujo. Las cuestiones de sombreado y valoración continúan muy presentes y conviene afrontarlas igual que en el resto de procedimientos de dibujo, aunque, trabajando con pasteles, hay que valorar con tonalidades oscuras que no son necesariamente el negro: pueden ser los rojos sanguina, los azules o cualquier otro color oscuro mezclado con el negro del carboncillo. Los difuminados son habituales en el trabajo con pasteles, pero hay que alternarlos con manchas de color puro para que la obra adquiera toda la personalidad colorista típica de este procedimiento.

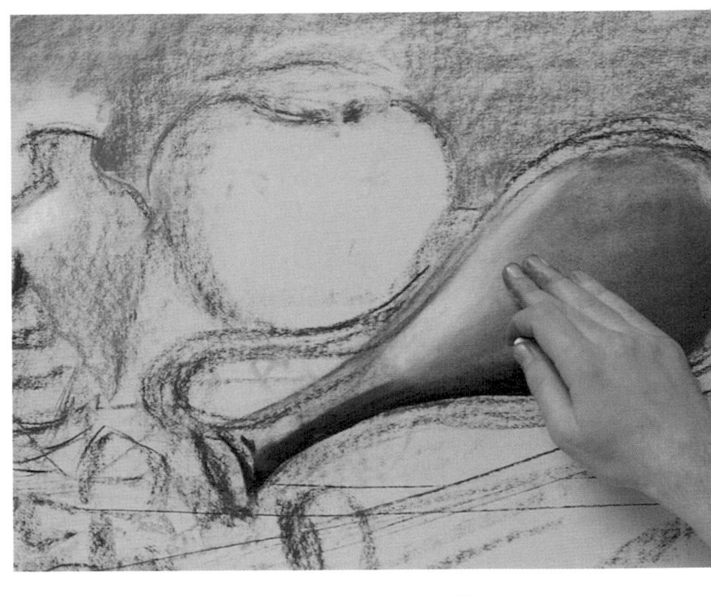

El carboncillo es un medio ideal de plantear un dibujo pictórico a base de cretas y pasteles. En las primeras fases, el carboncillo facilita la labor de creación de valores y de sombreado general.

En obras como ésta, realizadas por combinación de distintos medios de dibujo, cada uno de los procedimientos se deja ver en el resultado final, realzado y matizado por los demás medios de dibujo.

EL COLOR DIRECTO
Trabajar con colores directos es lo propio de la técnica del pastel. Aunque se trata de una manera de hacer claramente pictórica, tiene puntos en común con el dibujo con cretas y sanguinas, sobre todo en lo que toca a la elaboración plenamente manual, sin ningún utensilio interpuesto entre las manos del artista y el soporte. Las cuestiones relativas a la valoración, aunque no tan visibles como en otros procedimientos, también tienen gran importancia: de hecho, el contraste entre colores es, asimismo, una forma de contrastar zonas claras y oscuras.

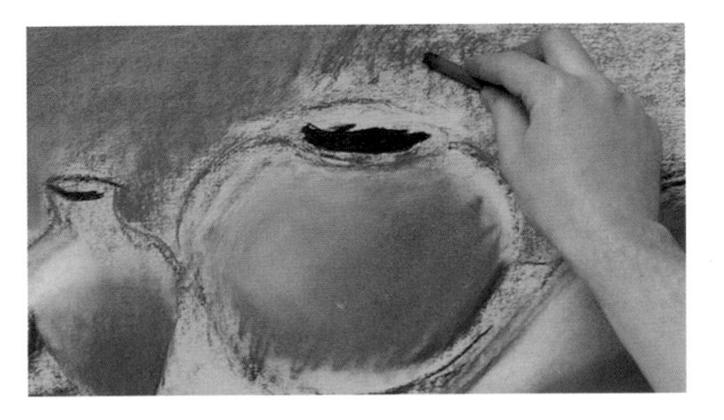

Aunque en la pintura al pastel propiamente dicha se utilizan colores directos y con pocas mezclas, también cabe combinar sanguina y carboncillo para lograr matices.

El modelado de la figura humana

La valoración y el sombreado de la figura humana merecen una consideración detallada, porque éste es el tema más frecuentado por los dibujantes y también el que más problemas suele plantear a quienes se inician en el dibujo. Pero el modelado de la figura, es decir, la representación armoniosa de su volumen, no es ni más ni menos complicado que cualquier otro tema de dibujo; es, quizá, más laborioso, pero no más difícil. Como cualquier otra forma real, la figura puede esquematizarse y resumirse mediante unas cuantas formas simples como las que conocemos bien: círculo, triángulo, cuadrados, etc. En el croquis adjunto puede ver cómo se organiza el esquema de esas formas planas. Pero si se trata de modelar, de crear volumen, habrá que elaborar esas formas para conseguir la apariencia tridimensional. No es difícil, partiendo del esquema plano, llegar a un segundo esquema compuesto también de figuras sencillas, de cilindros esquemáticamente sombreados. Si sabemos llegar a este punto, conseguir la representación final de la figura es una cuestión de ajuste de los volúmenes a partir del modelo.

LAS FORMAS CILÍNDRICAS Y EL CUERPO HUMANO
Aunque es posible utilizar esquemas muy distintos para organizar el dibujo de una figura, el cilindro es la forma que mejor se adapta a la anatomía humana. Pero estos cilindros no deben ser perfectamente regulares sino de anchura variable, para que, encajados entre sí, den una imagen aproximada de cómo se verá el volumen total de la figura una vez se haya dibujado con todo detalle. Los cilindros son fáciles de sombrear y resultan de gran ayuda para entender el ajuste de las distintas partes del cuerpo.

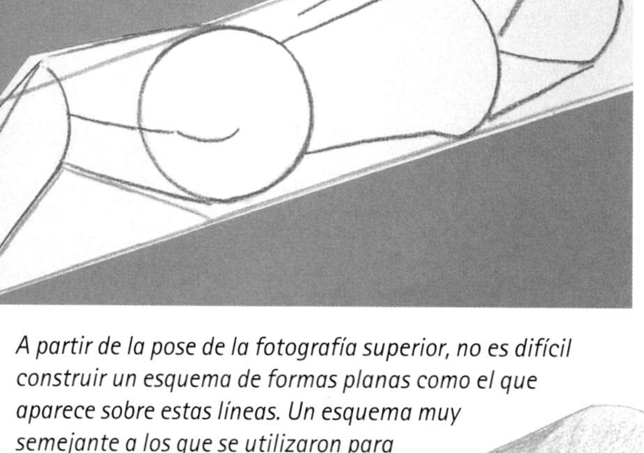

A partir de la pose de la fotografía superior, no es difícil construir un esquema de formas planas como el que aparece sobre estas líneas. Un esquema muy semejante a los que se utilizaron para encajar los dibujos realizados en páginas anteriores.

Del esquema anterior pasamos a este encaje basado en cilindros. Lo más importante de este encaje es la proporción de las partes y la armoniosa (y simple) distribución de las luces y las sombras.

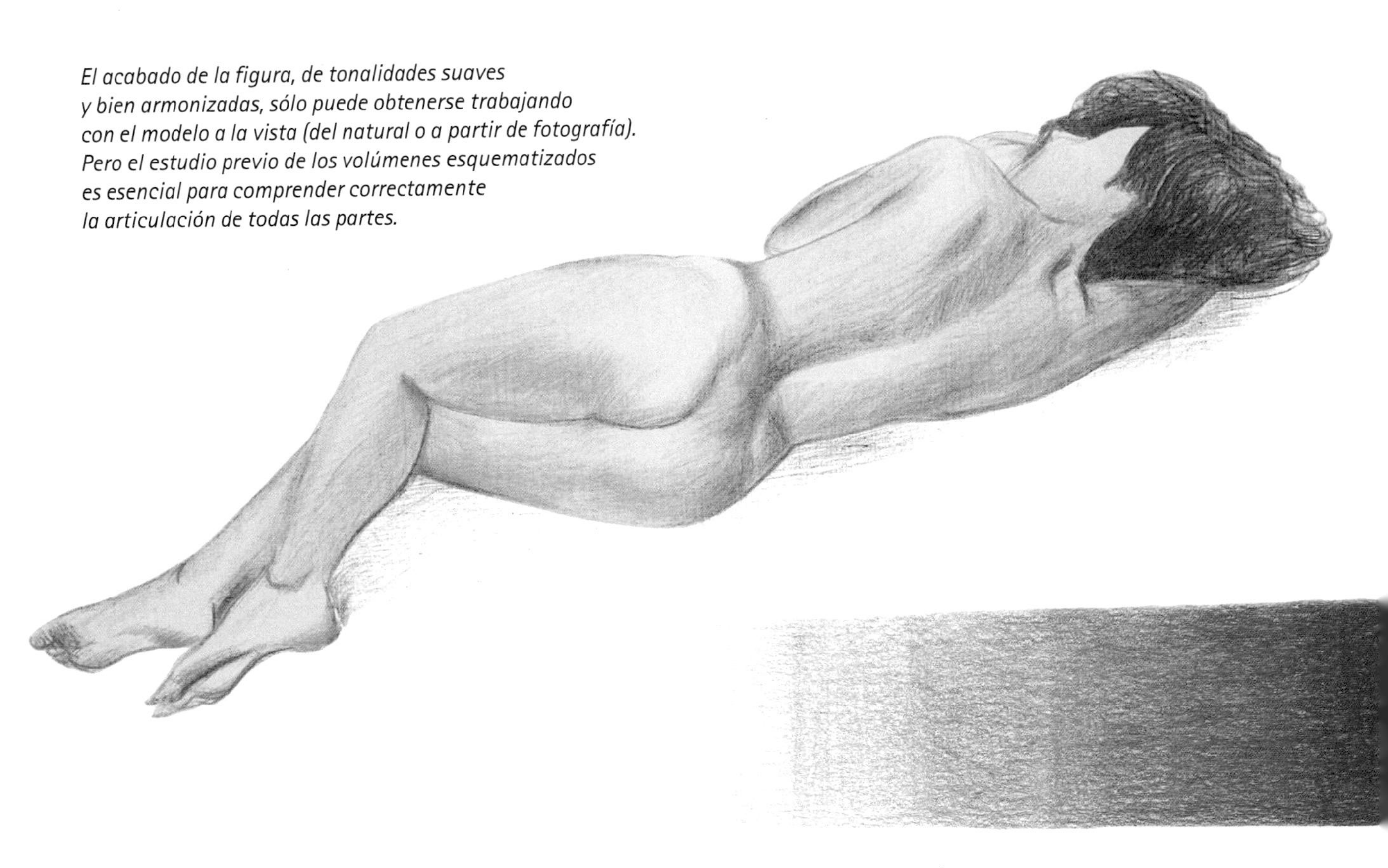

El acabado de la figura, de tonalidades suaves y bien armonizadas, sólo puede obtenerse trabajando con el modelo a la vista (del natural o a partir de fotografía). Pero el estudio previo de los volúmenes esquematizados es esencial para comprender correctamente la articulación de todas las partes.

Ésta es la gama que se ha utilizado para valorar y modelar la figura. Una gama que, aunque está elaborada con lápices de colores, recuerda la sanguina, un medio muy adecuado para el sombreado de la figura humana y especialmente del desnudo.

Luces y sombras en la figura humana

El sombreado real de la figura humana exige trabajar del natural o bien a partir de una fotografía. El esquema a base de cilindros ha servido hasta el momento para entender la distribución de los volúmenes, pero la representación propiamente dicha es más sutil, con transiciones más suaves y detalladas. La gama utilizada para el modelado se basa en el color siena (que podría sustituirse perfectamente por el tono sanguina), oscurecido en los valores más oscuros por una tonalidad sepia. Esta gradación puede lograrse tanto con lápices de colores como con cretas.

DEL DIBUJO AL COLOR

La diferencia de la valoración monocroma al color equivale a la diferencia de trabajar a lápiz o bien con lápices de colores. En estas dos fotografías se puede comprobar cómo el orden de los valores y el sistema de sombreado es el mismo en ambos casos. Es un ejercicio muy recomendable realizar dibujos sombreados a lápiz (sombreados con suavidad, claro) y luego colorearlos siguiendo las pautas de las sombras, adaptando los colores a esas intensidades: colores claros para las sombras ligeras y colores intensos para las sombras oscuras.

Los maestros y el dibujo coloreado

Los procedimientos de dibujo coloreado como la sanguina, las cretas o los lápices de colores han atraído a casi todos los grandes maestros del dibujo y la pintura. No es de extrañar, porque el juego entre el color del papel, los realces de blanco y las ligeras tonalidades del dibujo puede conducir a resultados realmente refinados. Vale la pena estudiar estas obras y descubrir cómo los grandes artistas resolvieron la cuestión de los valores, del modelado, de la luz y la sombra, etc. En la mayoría de los casos, y en todos los ejemplos que aquí aparecen, estas obras son piezas maestras de síntesis entre líneas y manchas, volumen y color; los volúmenes están perfectamente definidos y explicados, a veces únicamente a base de unos pocos trazos o algún ligero difuminado. Obras como éstas son la mejor lección posible de sombreado.

Miguel Angel, Estudio de figura masculina. *Metropolitan Museum of Art, Nueva York. Miguel Angel utilizó la sanguina sin ningún otro complemento, trabajando sobre un papel de color crema que realza los valores rojizos del medio. La fuerza del volumen se ha conseguido a base de trazos muy finos combinados con sombreados ligeros.*

Antoine Watteau, Dos estudios de figura femenina. *Colección particular. Éste es un buen ejemplo de la técnica de dibujo típica de este artista: el dibujo a tres colores, o dibujo con cretas (blanca, negra y sanguina). Este procedimiento se convirtió en un clásico del dibujo todavía muy utilizado hoy en día.*

François Boucher, Estudio de figura masculina. *Colección particular. Un perfecto ejemplo de cómo se debe utilizar el carboncillo o la creta negra combinada con la blanca. El papel de color grisáceo es el soporte perfecto para el juego de las distintas valoraciones de luces y sombras.*

Procesos de perspectiva y sombras en el paisaje

A través de los siguientes procesos paso a paso veremos cómo se plantea la cuestión del sombreado trabajando con lápices de colores. También tendremos ocasión de comprobar que la realización de ciertos temas de dibujo obliga a pensar en términos de perspectiva para evitar errores graves.

Los problemas de perspectiva que puede presentar un paisaje no suelen ser muy complicados y pueden resolverse aplicando algunas de las nociones básicas ya estudiadas en páginas anteriores. En general, estos problemas acostumbran a estar relacionados con el dibujo de edificios, es decir, de formas que contienen rectas y planos regulares. Los procesos de dibujo que veremos a continuación plantean alguna de estas cuestiones; veremos que es muy sencillo resolverlas y que una vez solucionadas al principio del trabajo, se puede dibujar sin prestar mayor atención al asunto. Porque lo verdaderamente importante es el dibujo en sí: la perspectiva nunca debe tomarse como un fin artístico sino como un medio por el que se solucionan cuestiones de dibujo que, de otro modo, ofrecerían un aspecto extraño o deforme. Una vez definida la forma en correcta perspectiva, no hace falta insistir en ella y se puede pasar a lo que importa. Y lo importante en estos ejercicios es la resolución de las luces y las sombras, del modelado y de la valoración de la forma. En el primero de los procesos asistiremos a una realización con lápices de colores en la que todos los aspectos citados se interpretan a través del cromatismo. En el segundo de los procesos veremos cómo se pueden lograr efectos sumamente expresivos utilizando medios muy sencillos.

◆

Lo importante en estos ejercicios, además del dibujo de la forma en perspectiva, es la resolución de las luces y las sombras, del modelado y de la valoración de la forma.

◆

Tanto en uno como en otro ejemplo, el dibujo real que sirve de base y sostén a la composición es muy simple: una casa, un compuesto de formas básicas.

Estas dos imágenes corresponden a los resultados de los dos procesos que ocupan las siguientes páginas. En ambos casos se trata de dibujos que plantean problemas sencillos de perspectiva y que pueden resolverse a base de valoraciones y sombreados de fácil realización.

Paisaje con lápices de colores

Lápices de colores de una gama concreta: la gama fría. Esta gama la componen los tonos azules, grises y verdes. Es la propia de un paisaje nórdico como el de la fotografía. Un motivo de luz atenuada en el que importa más el matiz que el contraste. El contraste, sin embargo, existe: la negra fachada de madera en que resaltan los blancos batientes de las ventanas; pero es más un contraste de color que de luminosidad. No hay sombras oscuras ni luces restallantes. Se trata, en definitiva, de un paisaje ideal para ser resuelto con lápices de colores, más adecuados para la sutileza de las entonaciones que para la fuerza del colorismo puro. El dibujo inicial siempre es importante; en este caso, el esquema del dibujo es un cubo casi perfecto al que se superpone la forma triangular de la fachada.

Esta casa nórdica es un excelente tema de dibujo para ser resuelto con lápices de colores, pues ofrece pocos contrastes y muchas matizaciones dentro de una misma gama de tonalidades frías.

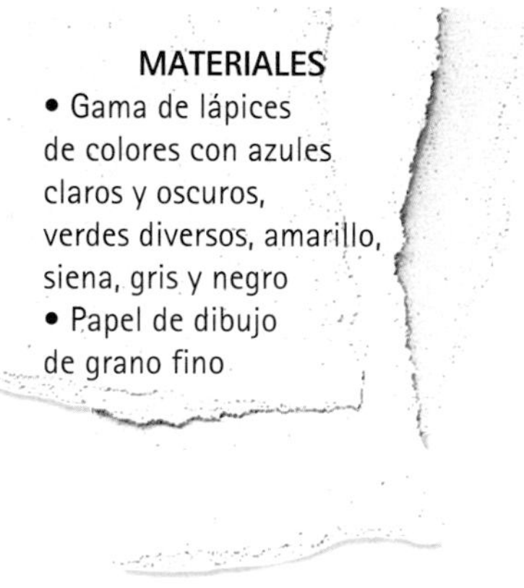

MATERIALES

- Gama de lápices de colores con azules claros y oscuros, verdes diversos, amarillo, siena, gris y negro
- Papel de dibujo de grano fino

1 El problema de perspectiva que presenta el dibujo previo es mínimo: las líneas horizontales de la casa fugan ligeramente hacia la derecha. Para resolverlo no hace falta hallar el punto de fuga, basta con dibujar las aristas del tejado en un ligero declive hacia la derecha. Por lo demás, el dibujo de la casa es en extremo sencillo.

2 El tono oscuro de la fachada lo resolvemos acumulando trazados de dos azules oscuros, o bien de un gris oscuro y un azul. Es mejor ir oscureciendo la zona progresivamente que torturar el papel presionando la punta de los lápices sobre él.

DE MENOS A MÁS
Como norma general, la valoración debe realizarse siempre partiendo de una tonalidad global clara que, poco a poco, vamos intensificando. Esta norma es especialmente importante cuando se dibuja con lápices de colores. Subiendo el tono de modo progresivo, evitaremos errores difíciles de corregir. Vemos en todo momento cómo avanza la relación entre los valores claros y los oscuros.

3 Cuando la fachada está lo suficientemente oscurecida, podemos trabajar el tejado cubierto de hierba. El color lo conseguimos acumulando muchos trazos de verdes diferentes, a los que se suma el amarillo en las partes más claras. Los trazos deben imitar en lo posible la dirección de los haces de hierba.

4 El siena y el gris son los colores con que podemos conseguir el color de la piedra. En las partes más oscuras podemos añadir toques de azul. Una vez obtenido el color, repasamos con gris intenso las junturas entre las piedras.

LA INTENSIDAD DE LOS TRAZOS
Los lápices de colores rinden mejores resultados cuando se superponen trazos de distinto color e intensidad; sólo excepcionalmente se debe intentar conseguir zonas de color compacto.

5 Para que el techo destaque contra el fondo, hay que oscurecer ese fondo de colinas con un gris verdoso. De este modo, el efecto es suave y matizado, pero lo suficientemente contrastado para que todas las formas destaquen con claridad.

TÉCNICAS UTILIZADAS

◆ Encajado ◆
◆ Perspectiva ◆
◆ Valoración con lápices de color ◆

La representación de la luz

Ya sabemos que la luz se representa mediante el sombreado, pero en este tema parece haber sólo luz y ninguna sombra: luz blanca, luz intensa y meridional. Lo opuesto a la suave y grisácea luminosidad nórdica del dibujo anterior. El efecto de estas paredes encaladas contra el puro azul del cielo es realmente violento. A primera vista, un tema difícil de interpretar con los medios de dibujo, un tema que hay que considerar de modo cuidadoso antes de empezar a trabajar. La opción más acertada es trabajar sobre un papel de color oscuro. Este color oscuro no puede ser otro que el azul del cielo; para forzar el contraste hay que elegir un azul ultramar, un azul profundo sobre el que el blanco destaque fuertemente. Aparte de estas consideraciones, el dibujo exige resolver un pequeño problema de perspectiva que puede solventarse en la primera fase del dibujo prestando un poco de atención a la dirección de las líneas básicas de la composición.

◆

La intensidad de la luz puede resolverse empleando un papel azul profundo sobre el que el blanco destaque con fuerza.

◆

MATERIAL

- Barra de carboncillo
- Lápiz de carbón
- Lápiz y barra de creta blanca
- Barra de sanguina
- Papel Canson de color azul intenso

La fotografía da testimonio de la excepcional luminosidad de este tema, en el que las sombras están casi completamente ausentes, sustituidas por la intensa blancura de las paredes.

1 El dibujo inicial es muy simple, pero hay que procurar construirlo en una perspectiva correcta. Se trata de una sencilla perspectiva oblicua (de dos puntos de fuga), que se puede resolver a ojo. En el recuadro adjunto, sin embargo, se explica el concepto básico que gobierna esta perspectiva para que usted no albergue ninguna duda al respecto.

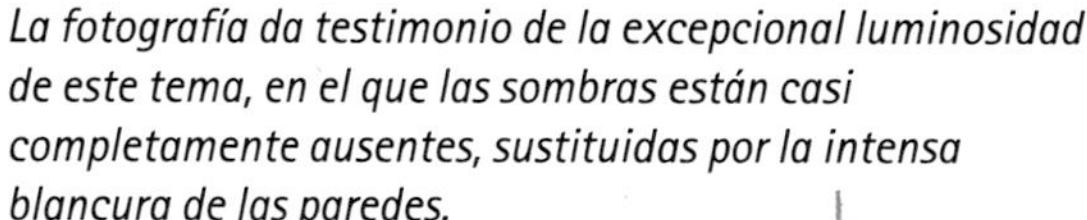

Esquema de la perspectiva.

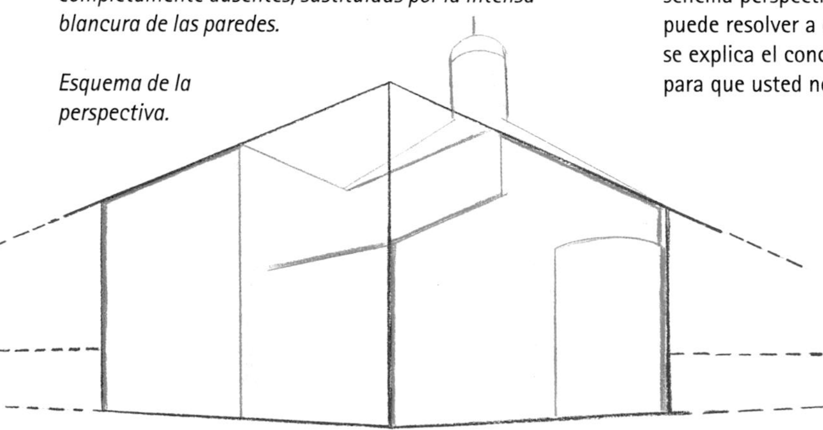

TÉCNICAS UTILIZADAS

◆ Dibujo en perspectiva ◆
◆ Encaje ◆
◆ Difuminados ◆

2

PERSPECTIVA DEL DIBUJO
El dibujo de la casa es una vista en perspectiva oblicua. Esto quiere decir que el edificio está visto de lado, desde una de sus esquinas, y que, por tanto, las fachadas laterales tienden a puntos de fuga distintos situados en el horizonte. Ni los puntos de fuga ni el horizonte serán visibles en la representación: están implícitos. El esquema del dibujo en perspectiva está construido como si la ermita estuviera situada en un plano perfecto: el horizonte estaría a la altura de la línea roja punteada y las líneas de fuga (en rojo también) tenderían hacia él a derecha e izquierda.

2 No hace falta utilizar una regla para conseguir las rectas del dibujo; trabajando con cuidado y con el lápiz de creta apoyado plano sobre el papel, podemos conseguir la suficiente precisión. No conviene remarcar mucho el trazo, por si fuera necesario borrar alguna línea equivocada.

3

3 La barra de creta blanca, colocada plana sobre el papel, permite cubrir con rapidez el tono de las fachadas. Este tono está compuesto por distintos grados de blanco, que se logran variando la presión sobre la barra.

4

4 Los muros están cubiertos con una aplicación suave de creta. En las partes donde se proyectan las sombras hemos dejado el color del fondo sin cubrir. Con la sanguina manchamos las zonas de los tejados sin insistir demasiado, reservando los detalles de las tejas para el final.

5

5 Difuminando la creta con los dedos logramos unificar el tono y dar una apariencia más sólida a los muros pintados. Las partes más iluminadas destacan por su blanco saturado y contrastan con las paredes en que los trazos de la creta son mucho más suaves.

6 Con muy poca insistencia, hemos logrado un gran avance en la realización del dibujo. Todo está basado en el contraste entre manchas blancas de distinta saturación, es decir, más o menos cubrientes. El azul de fondo actúa como sombra, por lo que, cuanto más cubierto esté, más clara será la superficie.

7 Una vez cubiertas todas las zonas de color, podemos realizar algunos detalles, como los aleros de los tejados o las pequeñas ventanas de la ermita. El lápiz de carbón es muy útil: es lo suficientemente oscuro para destacar contra el azul y su punta es más dura y fina que la del carboncillo, lo cual lo hace ideal para detallar.

8 Llegar hasta este punto ha sido muy fácil. En este tema, las luces y las sombras están perfectamente definidas, apenas hay transiciones de claro a oscuro y los detalles son muy pocos. Todo el trabajo reside en cuidar de que las zonas de blancos estén valoradas de modo adecuado.

TRABAJANDO EN NEGATIVO

El sombreado de este dibujo es bastante peculiar. Lo normal es oscurecer las sombras y dejar en blanco las luces. Pero cuando se dibuja sobre un papel de color oscuro hay que trabajar al revés: aclarando progresivamente las luces con la ayuda de una creta o un pastel de tono claro. Dibujar así no es más fácil ni más difícil que hacerlo a la manera convencional, sólo hay que operar a la inversa. En este dibujo, la claridad de los contrastes entre luces y sombras ha facilitado mucho la tarea. Así como en los dibujos sobre papel blanco las sombras ligeras dejan traslucir el tono de la hoja, en este caso son las sombras las que no cubren completamente el papel y, por tanto, se ven más oscuras.

9 El primer término puede resolverse con color, pero para respetar el poderoso efecto de luz de la ermita, lo vamos a desarrollar a base de trazos de carboncillo. Trazos que deben ser suaves e inclinados, de forma que parezcan hierbas y maleza.

LAS SOMBRAS Y EL COLOR DEL PAPEL

Cuando trabajamos con papeles oscuros, es el mismo color del papel el que da el tono de las sombras. En este dibujo, los sombreados de la fachada no son otra cosa que aplicaciones suaves de la creta blanca que dejan traslucir el color de fondo.

10 En el límite de la colina, donde se planta la base de la ermita, realizamos pequeños trazos a punta de carboncillo para que destaquen contra el blanco del fondo. Estos trazos, que representan las hierbas, han de ser mucho más pequeños en esta zona para que parezca que ocupan una posición más distante.

11 También la creta blanca interviene en el declive del primer plano. Pero aquí no hay lugar a manchas de tono cubriente y hay que trabajar a base de trazos. Para conseguir trazos más finos de lo habitual, podemos afilar la barra de creta con un *cutter* procurando no romperla. Los trazos deben ser ligeramente curvos, inclinados a derecha e izquierda para conseguir el efecto de matojos y de hierba alta.

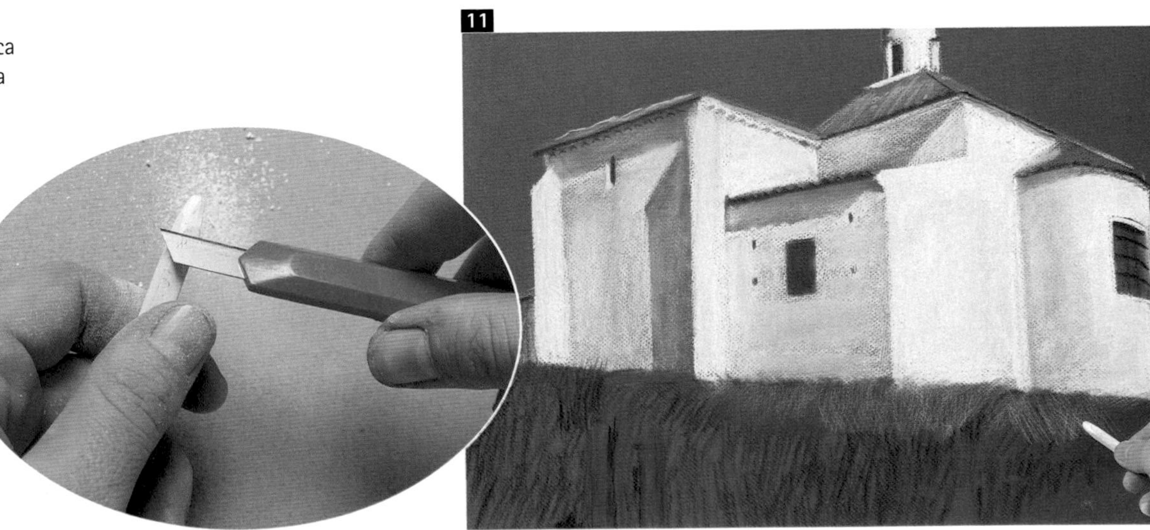

12

EL FIJADO FINAL
Tanto el carboncillo como los demás medios de dibujo que se pueden difuminar con facilidad, es decir, que no están aglutinados y cuyas partículas quedan libremente depositadas sobre el papel, han de ser fijados una vez acabada la obra. En el caso de las cretas, el difuminado altera muy poco el color y no es necesario tomar otras precauciones que las de sostener el dibujo en vertical mientras se rocía y aplicar el fijado muy suavemente y sin insistir en ninguna zona.

12 El primer plano está completamente acabado. Lo más importante de esta zona del dibujo es que las longitudes de los trazos vayan disminuyendo con la distancia. Para remarcar el primer plano, hemos dibujado la forma de la estaca, cuyo tamaño ayuda a crear la sensación de distancia respecto al fondo.

13 Al dibujo final hemos añadido algunas nubes para romper la cruda dureza del azul del fondo y valorar el plano del cielo. Hemos realizado estas nubes con sumo cuidado, trazando suavemente con la creta blanca y sanguina, difuminando después con los dedos.

13

Procesos de encaje y modelado de la figura

La técnica de encaje mediante formas simples nos será ahora de gran utilidad: en esta sección se desarrollan tres dibujos distintos de figura humana empleando diferentes técnicas. Al inicio de cada ejercicio se incluye un esquema básico de encaje para facilitar la interpretación general del dibujo, que se desarrolla después a base de sombreados y modelados.

El encaje de una figura puede hacerse de muchas maneras. La que se ha explicado en este libro, a base de figuras geométricas sencillas, es, posiblemente, la que permite un mayor control de la forma. Pero una figura también puede encajarse con líneas más sueltas, buscando las direcciones básicas del movimiento y de la pose mediante unas cuantas rectas y curvas que no necesariamente deben componer figuras geométricas. Ésta es la manera habitual de encajar apuntes, bocetos y notas rápidas y es bueno ensayarla para que la mano adquiera libertad y agilidad en el trazo. De este modo, las formas resultan más naturales y espontáneas. Pero todo tiene su proceso y lo mejor es que nos ayudemos de las figuras geométricas hasta que podamos prescindir de ellas, es decir, hasta que nos resulten más un estorbo que una ayuda.

◆

Una figura puede encajarse con líneas muy sueltas, buscando las direcciones básicas del movimiento y de la pose.

◆

El modelado desarrollado en estos ejercicios no encierra demasiadas complicaciones. Se trata de difuminados de carboncillo, creta o sanguina. La cantidad de luces y sombras es muy limitada y no es necesario valorar exhaustivamente hasta el último detalle. Veremos cómo la rapidez de ejecución es un buen aliado en el modelado cuando se trabaja con medios fáciles de difuminar: se traza una mancha de tono intenso y se extiende con la mano de manera que la mancha tome la forma adecuada a la sombra. De este modo, las sombras acompañan la forma y redondean mejor el volumen. El primero de los procesos consiste en un sombreado más convencional, a lápiz, sin insistir demasiado en las sombras para no recargar la gracia natural de la pose. El encaje de este ejercicio es muy sencillo y puede lograrse mediante unas pocas líneas bien proporcionadas.

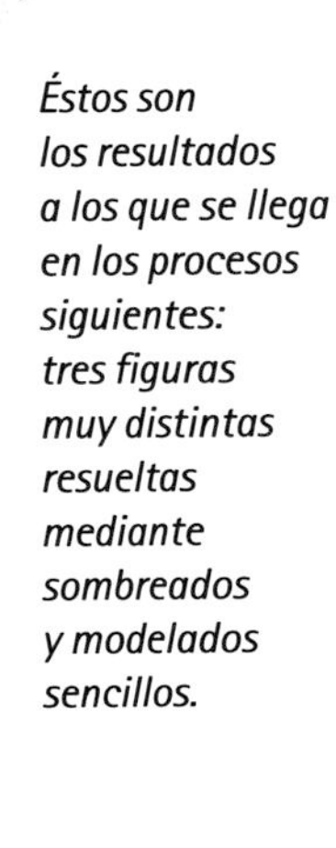

Éstos son los resultados a los que se llega en los procesos siguientes: tres figuras muy distintas resueltas mediante sombreados y modelados sencillos.

Una figura a lápiz

A lo largo de este proceso veremos el modo de dibujar y sombrear una figura a lápiz. El tema se halla al alcance de cualquiera: un amigo o un familiar puede perfectamente posar para nosotros durante una hora (tomándose los descansos que se crean oportunos), que es el tiempo aproximado que puede durar la sesión. El sombreado es muy ligero, no se insiste en ningún punto, y se dejan grandes zonas en blanco para no recargar y complicar la labor. Ahora bien, los pocos sombreados que existen están localizados en los lugares que importa resaltar para que la forma se entienda en toda su dimensión. El cabello es una de esas zonas, también los brazos y las arrugas del pantalón. Más que de sombrear la anatomía, se trata de describir los pliegues y las arrugas del ropaje, poniendo atención en la caída de esos pliegues para evitar que parezcan demasiado rígidos. En este sentido, hay que resaltar la importancia de la dirección del trazo en la definición de la forma: los trazos acompañan el volumen y cambian de dirección de acuerdo con la orientación de las superficies, ya sean planas, curvadas, frontales o laterales.

Este tipo de figura podemos dibujarlo perfectamente del natural, pidiendo a un familiar o un amigo que pose para nosotros. El dibujo, desarrollado de la manera indicada en estas páginas, no tiene por qué tomarnos más de una hora.

ESQUEMA DEL DIBUJO
Éste podría ser el esquema básico para el dibujo. Todo él está encerrado en una forma rectangular. Si conseguimos dar a esta forma la correcta dimensión en altura y anchura, habremos solucionado buena parte del problema que plantea este dibujo. También es importante acertar la inclinación precisa de las piernas y los brazos para conseguir que la figura parezca estar realmente sentada.

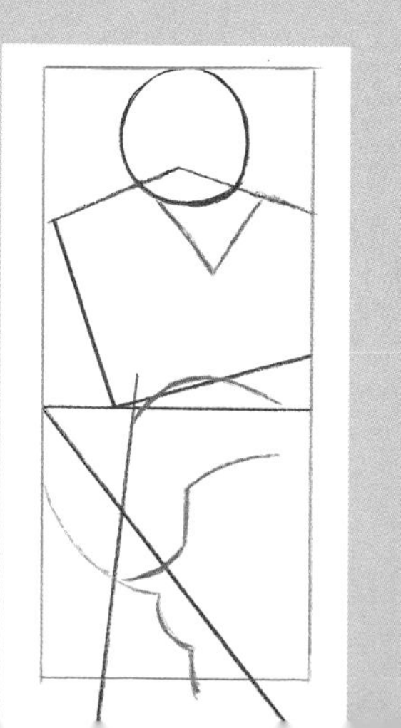

MATERIAL
- Lápiz HB
- Lápiz 3B
- Papel de dibujo blanco de grano fino

1 En esta imagen son todavía visibles las líneas previas del encaje (la curva del cabello, las líneas directrices de los hombros y de los brazos, etc.). Son más finas que los trazos de sombreado, realizados con el lápiz blando, aunque sin presionar mucho. La dirección de los trazos acompaña la forma, como podemos apreciar perfectamente en la sombra de las páginas del libro.

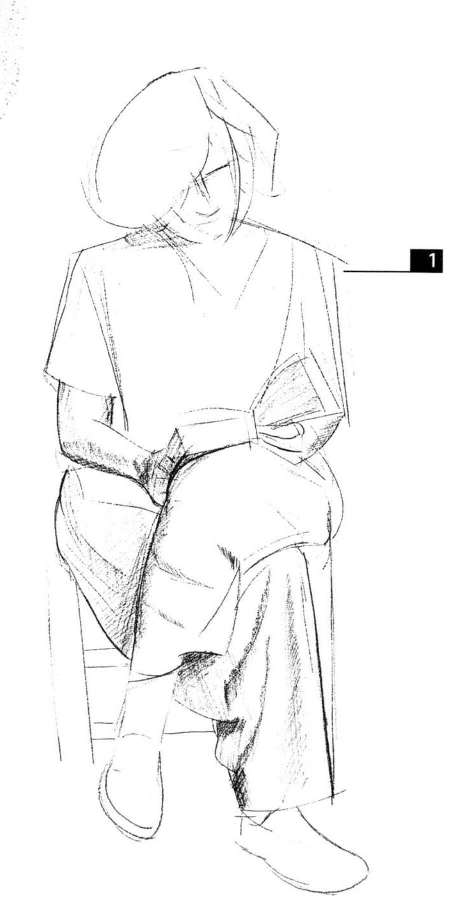

2 El sombreado es progresivo, sin cambios bruscos y repartido por todo el dibujo; trabajamos todo a un tiempo. Poco a poco, vamos oscureciendo las sombras más profundas. En este punto, dibujamos ya los rasgos faciales a base de unos trazos bien distribuidos, sin insistir demasiado en ellos ni detallarlos excesivamente.

3 Aquí hemos remarcado algunas líneas importantes (ésta también es una manera de destacar la forma y el volumen): la cara interior de la pierna derecha, la zona inferior del brazo de ese mismo lado y los límites del cabello. Esto refuerza la estructura general del dibujo y añade claridad a la representación. Además, hemos comenzado el sombreado del cabello por unos trazos centrales que dan forma a la ondulación del peinado.

4 Podemos ver la manera en que hay que sombrear la cabellera. Es preciso trabajar con calma, estudiar bien el modelo, observar la dirección y la curvatura de las ondas e imitar con los trazos de lápiz las puntas del cabello que aparecen en el margen exterior.

5 El acabado del dibujo consiste en un sombreado discreto de las patas de la silla, repasando las líneas de las patas para dar un poco de solidez a la estructura general del dibujo. No ha sido un proceso demasiado laborioso y el sombreado se ha limitado a las zonas imprescindibles con el fin de obtener un resultado armónico y ligero.

TÉCNICAS UTILIZADAS

◆ Encaje ◆
◆ Sombreado a lápiz ◆

Rostro de perfil

Los utensilios empleados en este proceso son las cretas y el carboncillo. El dibujo se basa en un fuerte contraste de tono que viene a ser una exageración máxima de la valoración: en vez de diferencias suaves de valores, aquí, el contraste casi entre blanco y negro domina la composición. Los difuminados no serán un medio de rebajar la intensidad de las sombras sino de extender el carboncillo creando algunos volúmenes. Sólo en la zona del rostro aparecerán modelados suaves y cambios de tono más sutiles.

La rotundidad de contrastes y la sencillez de la forma son las características más interesantes de esta imagen. El objetivo de nuestro dibujo será preservar esos valores en todo momento.

MATERIAL
- Lápiz de carbón
- Barra de carboncillo
- Barra de sanguina
- Lápiz de creta sepia o siena
- Barra de creta blanca
- Papel Ingres de color crema

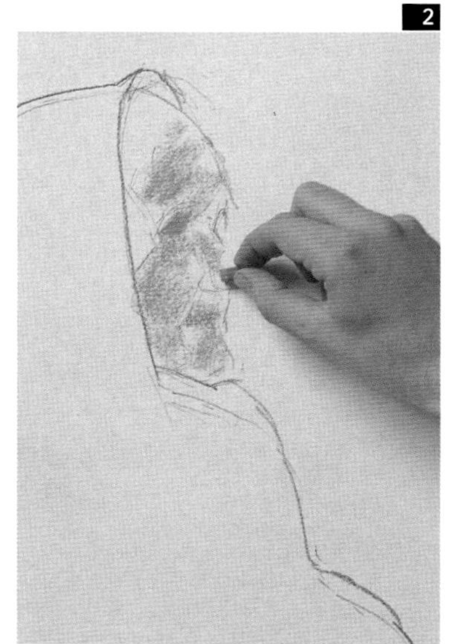

1 El dibujo previo es muy simple, si tenemos en mente una imagen clara del esquema compositivo, de la distribución de las formas a lo largo de la diagonal. Es importante también dibujar someramente las facciones para comprobar su buena proporción en el conjunto. Para este dibujo utilizamos lápiz carbón y trazamos con suavidad.

2 Para conseguir el tono de la cara, extendemos manchas suaves de sanguina dejando en blanco la zona del cabello, procurando no cruzar sobre las líneas del dibujo para que las manchas no se ensucien ni las líneas se desdibujen. Hecho esto, se difumina la zona con precaución.

TÉCNICAS UTILIZADAS

◆ Encaje ◆
◆ Difuminado ◆
◆ Sombreado ◆

UN ESQUEMA EN DIAGONAL

El encaje de la figura viene dado, en primer lugar, por el hecho de que toda ella ocupa un ángulo del encuadre, de manera que la composición del dibujo está dominada por una clara línea diagonal. A lo largo de esa diagonal acomodaremos el óvalo de la cara y las arrugas del ropaje. Un esquema extremadamente sencillo que sólo exige un cálculo correcto de la inclinación de la diagonal.

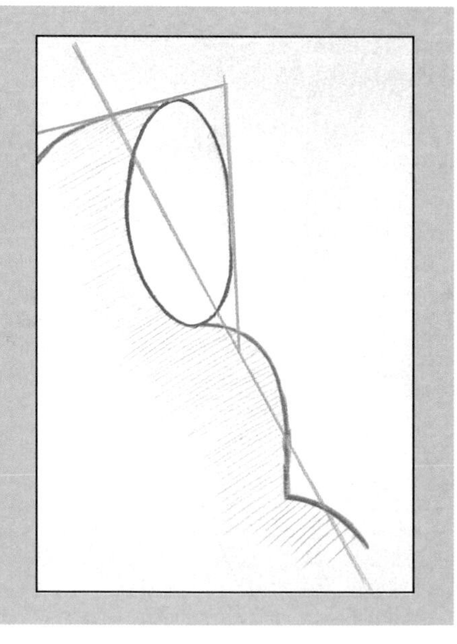

3 Con el lápiz de creta, sombreamos la cuenca del ojo, perfilando la forma de los párpados. Hay que trazar con suavidad, porque después habrá que difuminar estas líneas y no conviene que queden rastros.

4 El chal de la anciana es de un negro profundo que fácilmente puede representarse mediante manchas de carboncillo. Ahora hay que manchar enérgicamente, sin miedo, acumulando las líneas fuertemente trazadas. Podemos cubrir toda la superficie; luego, los difuminados permitirán matizar un poco esta gran mancha negra.

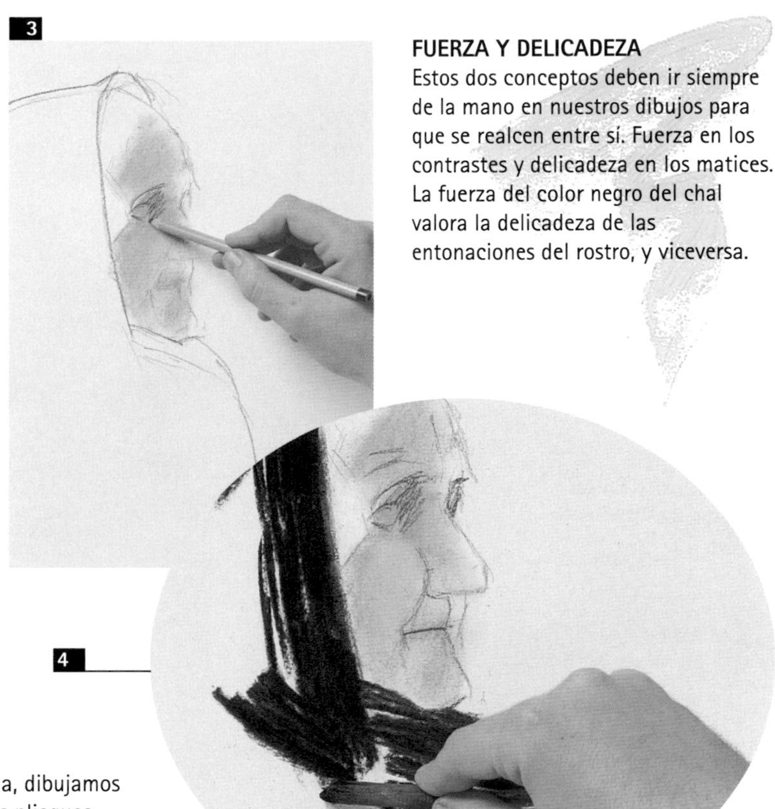
3

4

FUERZA Y DELICADEZA
Estos dos conceptos deben ir siempre de la mano en nuestros dibujos para que se realcen entre sí. Fuerza en los contrastes y delicadeza en los matices. La fuerza del color negro del chal valora la delicadeza de las entonaciones del rostro, y viceversa.

5 Sobre el suave difuminado de sanguina, dibujamos los detalles del rostro, las arrugas y los pliegues, utilizando el lápiz de creta. Conviene poner atención en las diferentes direcciones de las arrugas para no crear deformidades.

6 El pelo cano lo hemos cubierto con unas manchas de creta blanca que crean un contraste puro de blanco y negro con el ropaje. Ahora difuminamos enérgicamente los trazos de carboncillo moviendo la mano en la dirección del ropaje, es decir, creando una curva a la altura del hombro.

5

6

LAS VIRTUDES DE LA SENCILLEZ
Los temas deben plantearse de modo sencillo, buscando sencillez en el encaje y en el modo de ejecución. Aunque esto no es siempre posible, en la mayoría de las ocasiones es mejor quedarse algo corto que llevar el dibujo hasta un grado de acabado exagerado. Siempre se puede retocar algo y todos deseamos hacerlo lo mejor posible, pero todo dibujo llega a un estado en el que la insistencia puede estropearlo. Llegado ese momento, podemos dar la obra por finalizada.

7

8

7 Sobre la mancha blanca del cabello resaltaremos algunos mechones para que no parezca una mancha en sentido literal. Dibujando unas líneas suaves de lápiz creta daremos la impresión de que el pelo está verdaderamente recogido hacia atrás. En la imagen se aprecia cómo hemos extendido algunos trazos de sanguina en el fondo para no dejar esta zona completamente en blanco.

8 Éste es el resultado final. En el fondo, las anteriores manchas de sanguina las hemos mezclado con creta blanca para aclarar el tono; finalmente, resulta una mancha inconcreta que da un poco de atmósfera al conjunto.
El proceso ha sido bastante rápido, el difuminado expeditivo ha permitido resolver la mayor parte del dibujo en muy poco tiempo, creando un fuerte contraste, que es el que da vivacidad a la composición: pocos medios, recursos enérgicos y un esquema compositivo muy simple dan a este dibujo una considerable fuerza plástica.

Apunte con sanguina y cretas

La diferencia entre un dibujo acabado y un apunte es muy difícil de precisar. A menudo se confunden, y también suele ocurrir que los apuntes resulten ser más interesantes que los dibujos más elaborados. Todo depende del tema y de lo que demande de nosotros. En general, los temas de figura al aire libre se prestan más a ser interpretados como apunte para captar la sensación de momento fugaz (la figura no posa como lo haría en un estudio, la luz natural cambia, etc.). El apunte exige capacidad de síntesis, resumir en pocos trazos y manchas lo esencial de la composición, el sombreado y el modelado. La figura que proponemos en este proceso paso a paso resulta de gran interés, sobre todo por los amplios y atractivos ropajes, que sugieren una resolución suelta y ligera.

ESQUEMA BÁSICO
La composición de esta figura se basa en un esquema triangular al que se añaden las curvas básicas de la túnica y la chaqueta; el resto de componentes se puede insertar con facilidad una vez fijada la proporción del conjunto. Evidentemente, para hacer un apunte se prescinde del esquema, pero vale la pena que lo dibuje para asegurarse de que consigue una buena distribución de todas las partes.

MATERIAL

- Barrita de sanguina
- Barrita de creta blanca
- Barrita de sanguina color sepia o siena
- Lápiz carbón
- Papel Canson color rosa pálido

Un tema de figura al aire libre, con interesantes juegos de luces, que pide un tratamiento ligero y casi abocetado.

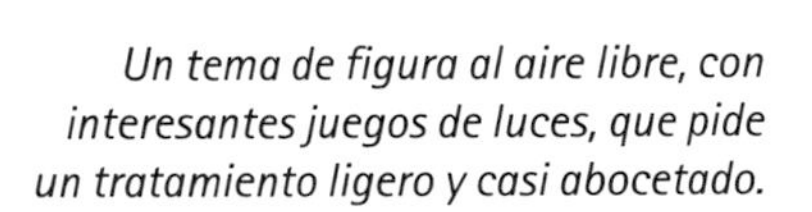

TÉCNICAS UTILIZADAS

◆ Encajado ◆
◆ Difuminado ◆
◆ Sombreado ◆

1

1 Con la barra de sanguina hemos trazado todo el contorno, incluyendo los detalles importantes. El color de las líneas de sanguina armoniza perfectamente con el tono del papel, pues ambos son de la misma gama rojiza y se complementan muy bien. La sencillez de realización de los apuntes queda realzada si empleamos papeles coloreados.

2

3

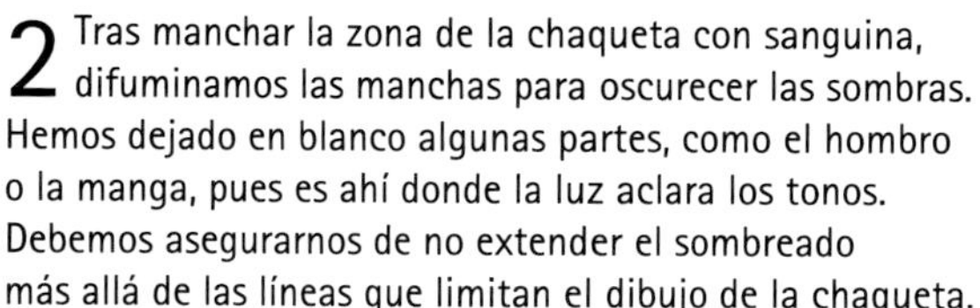

2 Tras manchar la zona de la chaqueta con sanguina, difuminamos las manchas para oscurecer las sombras. Hemos dejado en blanco algunas partes, como el hombro o la manga, pues es ahí donde la luz aclara los tonos. Debemos asegurarnos de no extender el sombreado más allá de las líneas que limitan el dibujo de la chaqueta.

3 Repetimos la misma operación anterior en la otra manga. Aquí hay que saturar el tono de la sombra recortándolo bien contra el límite de la blusa blanca. De esta forma, la claridad de la blusa destacará mucho más.

4 Aquí podemos ver cómo los sombreados de sanguina rodean las partes claras y crean una primera sensación de relieve, destacando la zona central de la figura respecto al fondo. El oscurecimiento del suelo crea una base sólida sobre la que se asienta el personaje.

4

EL COLOR DE FONDO

Cuando se dibuja con un papel coloreado, hay que intentar sacar todo el partido de ese color de fondo, utilizándolo como valor intermedio entre las luces más claras y las sombras más oscuras. El rosa pálido del papel sobre el que realizamos este ejercicio cumple muy bien esta función, ya que su tonalidad puede pasar como intensidad intermedia entre el blanco puro de la túnica y el gris de la sombra de los pliegues.

COLORES ARMÓNICOS
La gama de las cretas es hoy muy amplia, pero tradicionalmente estaba reducida a los colores terrosos como el siena, el ocre o el sanguina. Estos tonos son muy armónicos y combinan perfectamente entre sí, lo cual los hace idóneos para todo tipo de modelados y sombreados. En este ejercicio hemos utilizado dos de esos colores, el sanguina y el siena, y el resultado puede apreciarse en la imagen.

5 Ahora, con unos suaves trazados de barra de creta blanca, modelamos los volúmenes de la túnica. Los trazos deben seguir la forma de los pliegues en su parte más clara; el mismo tono del papel ayudará a que las partes en sombra tengan luminosidad, por lo que no será necesario oscurecer demasiado las sombras.

6 Realizamos el sombreado de la túnica también con sanguina. Pero los difuminados deben ser muy suaves; hay que evitar un efecto de sombra sólida y dura, que no casaría bien con la calidad vaporosa del tejido. Esta mancha es el resultado de difuminar mucho unos pocos trazos de sanguina.

7 Los trazos oscuros de la barba, realizados con lápiz carbón, no sólo tienen una intención representativa sino que realzan todo el sombreado rojizo de la sanguina, introduciendo una nota oscura que da expresividad al dibujo como conjunto de tonos y valores. Estos detalles deben ser esquemáticos y generales.

8 Para aumentar el contraste entre partes claras y oscuras, y también para dar mayor calidad a las sombras de la chaqueta, sobre el difuminado de color sanguina volvemos a trazar con la creta color siena y, de nuevo, difuminamos los trazos. Todo esto hay que hacerlo respetando las zonas claras del modelado.

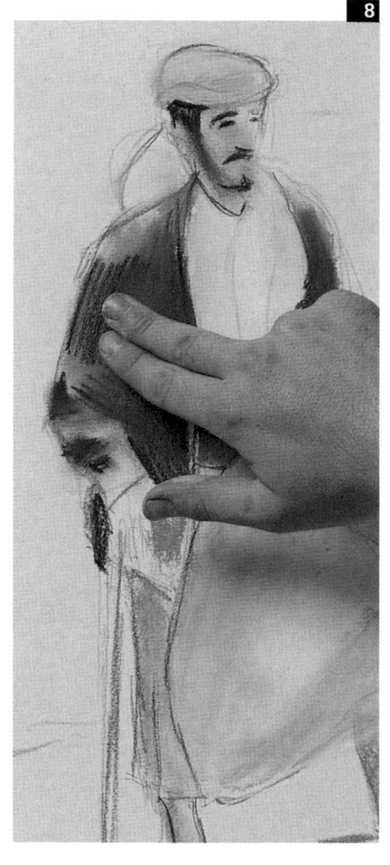

8

9

DIBUJAR CON RAPIDEZ
A medida que vaya adquiriendo práctica en el dibujo, notará que los resultados que se obtienen dibujando rápidamente poseen un valor propio e inimitable, una frescura que fácilmente se pierde al retocar y acabar mucho el trabajo. A veces, la mejor solución es saber levantar el lápiz del papel a tiempo.

9 Los realces de negro en el rostro, el cinturón y las sandalias han conseguido redondear y dar vitalidad al conjunto del dibujo. Hemos podido ver, paso a paso, cómo se construye un apunte, un proceso en realidad bastante rápido que se basa ante todo en el resumen de los efectos de sombreado y contraste mediante unas manchas bien situadas. El efecto final es plenamente satisfactorio y no tiene nada que envidiar de un estilo de dibujo mucho más elaborado.

Líneas y manchas: dibujo de animales

Temas como éste son toda una oportunidad para desarrollar el sentido de la forma, del volumen y de las tonalidades típicas de las cretas. El proceso que sigue a continuación demuestra la versatilidad del procedimiento elegido, que permite tanto rectificar errores como insistir y matizar hasta obtener la forma definitiva.

El dibujo de animales tiene un gran atractivo para todos los dibujantes, pero no son muchas las oportunidades con que contamos para practicarlo. En este proceso se realiza una escena de animales en libertad, llena de exotismo y colorido, de gran atractivo visual. Se trata de un tema sin un centro propiamente definido, sin una forma claramente centrada que permita un encaje firme: los grupos de animales se reparten a lo largo de la composición y ésta tiene un encuadre casual, espontáneo. Éste es uno de los aspectos más interesantes en el dibujo de animales, el que sea un pedazo de vida real capturado en toda su espontaneidad: los animales no posan ni se prestan a ser dibujados cuando nosotros queramos, simplemente están ahí y hay que saber elegir el momento adecuado para dibujarlos. En este caso, ese momento ha sido captado por la cámara fotográfica, y el dibujo parte de tal documento gráfico (una opción cómoda y perfectamente válida desde el punto de vista artístico).

Técnicamente, este proceso se caracteriza por una elaborada alternancia entre la línea y la mancha, entre los contornos y el sombreado, entre la precisión de la forma y la sugerencia del volumen. El contraste entre ambos factores es uno de los principales recursos que posee el dibujante para crear espacio, sensación de distancia y calidad atmosférica. La atmósfera de este ejercicio es cálida y densa, y se ha conseguido gracias a la combinación de manchas difusas de tonos cálidos de diferente intensidad, tonos obtenidos con cretas y matizados con carboncillo. En conjunto, se trata de un ejercicio muy completo en el que entran en juego los recursos fundamentales del dibujo artístico.

◆

En este proceso se realiza una escena de animales en libertad, llena de exotismo y colorido, de gran atractivo visual.

◆

Éste es el resultado del proceso que nos ocupará las páginas siguientes. Se trata de una obra bastante elaborada, realizada mediante una combinación de procedimientos y en la que intervienen todas las técnicas básicas del dibujo.

Un proceso con rectificaciones

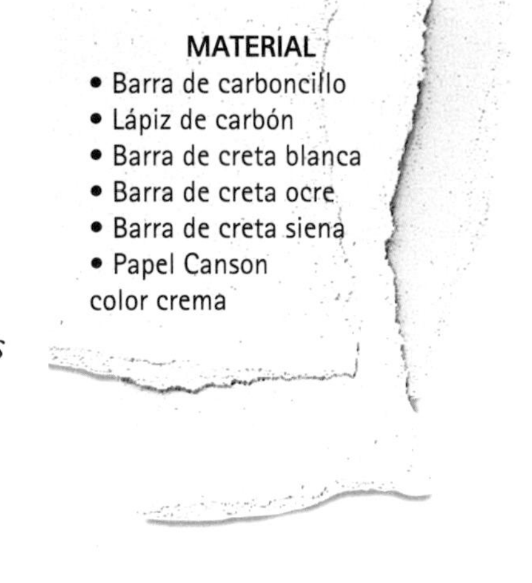
MATERIAL
- Barra de carboncillo
- Lápiz de carbón
- Barra de creta blanca
- Barra de creta ocre
- Barra de creta siena
- Papel Canson color crema

Si rectificar es de sabios, también lo es aprender de las rectificaciones ajenas. En este proceso se plantean soluciones que luego son corregidas aprovechando el fallo inicial. No se trata tanto de un fallo como de una interpretación precipitada que después se convierte en una base útil sobre la que continuar el trabajo. Esto ocurre muy a menudo y es bueno acostumbrarse a perder el miedo a los errores, porque es gracias a ellos que llegamos a la realización de dibujos que no hubiéramos imaginado en un principio. En cualquier caso, un dibujo como éste, que se basa en fundidos y difuminados, da bastante margen para el error; sin embargo, aquí las equivocaciones pueden difuminarse y cubrirse trabajando de nuevo sobre ellas.

◆ *En dibujo artístico, los errores pueden convertirse en sugerencias inesperadas que apuntan hacia nuevas soluciones.* ◆

El tema sugiere un tratamiento elaborado, en el que se conjugan las luces y las sombras con la precisión de la línea.

1 El dibujo previo plantea el contorno de las formas esquemáticamente. No es un verdadero esquema de composición, puesto que hay demasiadas formas y se hallan muy dispersas para plantearlo. Cada uno de los animales está abocetado en sus líneas esenciales, y sus dimensiones son adecuadamente proporcionales al conjunto de la composición.

2 Extendemos unos trazos de carboncillo con vistas a un difuminado inicial. La localización de estos trazos no tiene por qué ser muy precisa; simplemente, basta con situarlos en las zonas más oscuras de la composición.

TÉCNICAS UTILIZADAS

◆ Difuminados ◆
◆ Sombreados ◆

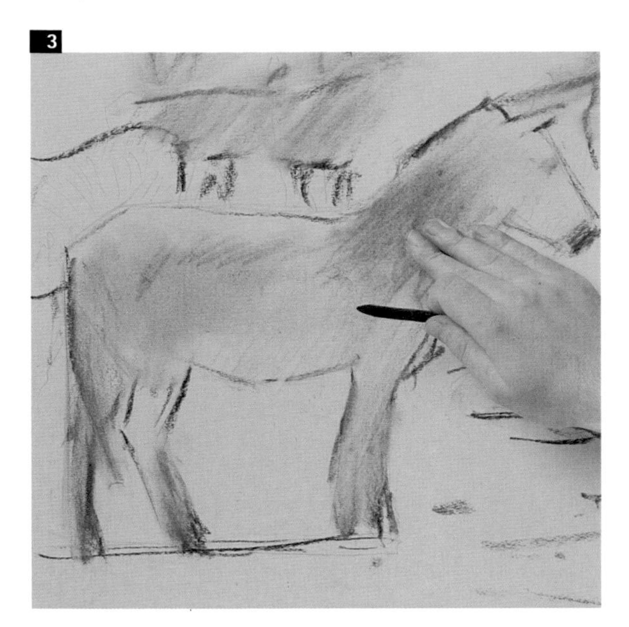

3 Éste es el difuminado de los trazos iniciales. Para conseguir un primer sombreado general, extenderemos la mancha por toda la superficie del animal. Como los trazos han sido muy ligeros, el sombreado resultante será bastante claro.

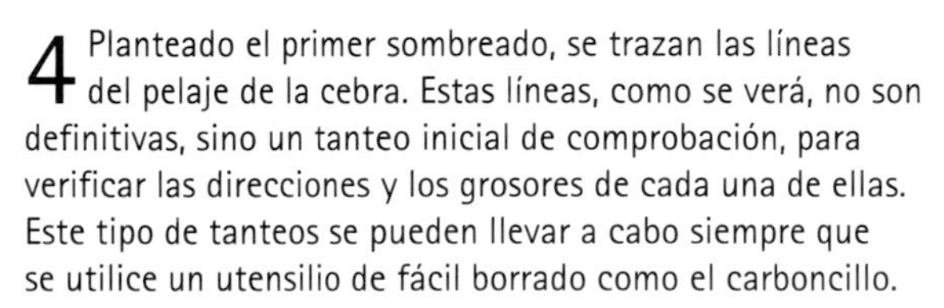

4 Planteado el primer sombreado, se trazan las líneas del pelaje de la cebra. Estas líneas, como se verá, no son definitivas, sino un tanteo inicial de comprobación, para verificar las direcciones y los grosores de cada una de ellas. Este tipo de tanteos se pueden llevar a cabo siempre que se utilice un utensilio de fácil borrado como el carboncillo.

5 Visto el efecto general de las líneas, mancharemos el cuerpo del animal con creta blanca y difuminaremos con los dedos. La creta y el carboncillo se mezclan creando una entonación grisácea que permite dar volumen a la cebra.

6 En esta imagen puede apreciarse el sombreado general de la cebra, bastante tosco y sin precisión, pero que será muy útil como base para dibujar las listas del pelaje. En el resto de la composición, hemos realizado algunas manchas con creta siena para indicar ligeramente el volumen de los demás animales.

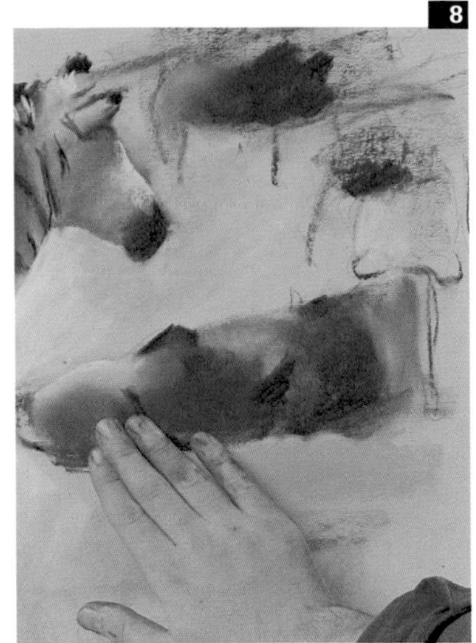

8 Aunque ya hemos iniciado los detalles definitivos del pelaje de la cebra, es conveniente elaborar un poco más el resto de la composición dando volumen a los grupos de animales más destacados. Esto también podríamos hacerlo más tarde, pero siempre es mejor acompasar la elaboración del dibujo en todo su conjunto.

7 Para volver a perfilar (esta vez con mayor precisión) el cuerpo de la cebra, repasaremos los contornos exteriores con trazos gruesos de creta blanca; éstos taparán las manchas que antes sobresalían fuera del contorno. Esta opción es más interesante que el borrado de las manchas mencionadas, un borrado que, de seguro, dejaría rastros y suciedades.

9 Continuaremos modelando un poco más los animales de segundo plano para que la escena entera cobre vitalidad. El tono oscuro del cuerpo de estos animales es el resultado de mezclar el negro del carboncillo con la creta siena; para conseguir tonalidades más claras, puede mezclar este color con un poco de creta ocre.

10 Es el momento de definir el pelaje de la cebra con la debida precisión. Las líneas previas, que todavía son ligeramente visibles bajo el sombreado, ofrecen una pauta que nos es de mucha ayuda.
Estos trazos se realizan a punta de carboncillo; para oscurecerlos, se empleará más tarde el lápiz de carbón.

11 Los espacios entre raya y raya los rellenaremos con blanco de creta, aplicado con la barra de punta. Estos blancos deben ser más claros en las partes centrales del cuerpo y en la grupa, donde el volumen recibe de lleno la luz.

12 Hemos conseguido una precisión excelente en la intrincada estructura de las rayas del pelaje, que era uno de los aspectos más delicados de este dibujo. Ahora falta volver a dar todo el volumen a la forma del animal.

13 Remarcando los negros de las rayas con lápiz de carbón y también los blancos con aplicaciones más intensas de creta, en las zonas más afectadas por la luz conseguiremos representar de modo convincente el volumen del cuerpo del animal. Entre las patas, podemos apreciar las manchas de creta ocre mezclada con blanco que dan la tonalidad general al fondo.

CONTORNOS DESDIBUJADOS
Es inevitable que durante el proceso de dibujo las manchas rebasen los contornos. En un dibujo como éste, en el que se utilizan medios diversos, es más fácil solventar esta circunstancia perfilando esos contornos con creta o sanguina por el exterior antes que intentar borrar las manchas.

14 Para definir los contornos secundarios (los cascos y la parte inferior de las patas), lo más sencillo es cubrir a su alrededor, dibujando por el exterior de la forma y no por su interior, como es habitual.

15 El dibujo finaliza con algunas precisiones en el fondo: definimos los cuernos de los otros animales, insinuamos la colina en último término, concretamos las manchas del terreno en primer plano y la atmósfera general, muy cálida y algo polvorienta, como corresponde a una típica escena africana de animales en libertad.

Dibujos de paisaje con color directo

La técnica del pastel se encuentra en la frontera del dibujo y la pintura. En las siguientes páginas traspasamos esa línea fronteriza y nos asomamos al mundo del color. La técnica se basa en el color directo: color por toques, sin mezclas, una manera de hacer a nuestro alcance, que no requiere mezclas ni modelados cromáticos y que permite soluciones de gran vistosidad.

Quizá sería más apropiado hablar de pinturas en este caso, porque los procesos que siguen a continuación están realizados con la ayuda de colores al pastel. Estos colores son muy parecidos, prácticamente iguales, a las cretas. La única diferencia entre ellos radica en que las cretas son de consistencia más dura y cuesta más trabajo extenderlas ampliamente sobre el papel. Por otra parte, la técnica que vamos a ver aquí es muy sencilla y no implica mezclas de color, que es el factor esencial en todo procedimiento de pintura. Por lo tanto, no tiene nada de extraño que los siguientes ejercicios aparezcan en un libro sobre el dibujo.

El color que aquí llamamos directo no es otra cosa que la mancha o el trazo de una barra de pastel sin difuminar ni fundir.

Este procedimiento da muy buenos resultados en temas como los que veremos a continuación, temas de un cromatismo impresionista, disgregado. El dibujo se puede construir a base de aplicaciones sucesivas, de una forma parecida a como trabajan los pintores de la escuela impresionista. Esta manera de hacer garantiza resultados vibrantes y coloristas y no exige un encajado riguroso ni un dibujo previo demasiado elaborado. Por otro lado, el color y sus múltiples contrastes suplen el modelado y el sombreado.

Los dos procesos que ahora comienzan serán un buen colofón para esta obra.

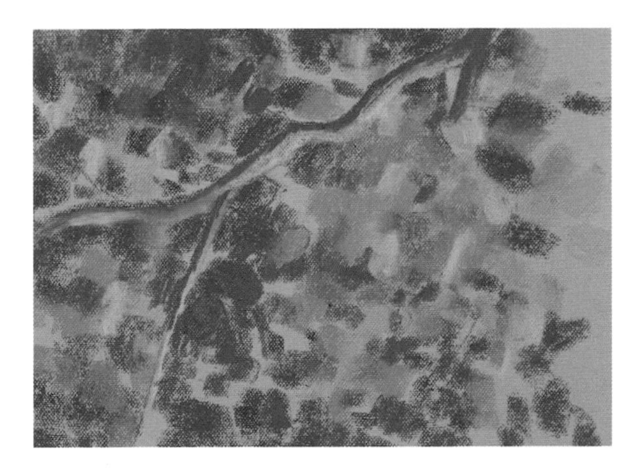

Éstos son los resultados a los que se ha llegado tras seguir el proceso que se ilustra en las siguientes páginas. Dos obras que entran ya en el dominio de la pintura, aunque contienen, a su manera, todas las características técnicas del dibujo: mancha, línea, modelado, sombreado, etc.

Hojas de otoño

Difícilmente se podría encontrar un tema más adecuado para ensayar esta nueva técnica que esta rama poblada de hojas de otoño. En esta imagen multicolor casi pueden contarse, una por una, el número de hojas, todas con su propio tono bien definido. Aunque parezca muy prolijo, el tema es simple. Veremos cómo se puede ir construyendo el conjunto sin necesidad de cálculos ni esquemas previos, simplemente superponiendo manchas de distintos tonos, empezando por el primer color y acabando por el último. Así de sencillo.

MATERIAL
- Gama de pasteles compuesta por: siena, ocre, rojo óxido, amarillo pálido y amarillo intenso
- Papel Canson color gris azulado

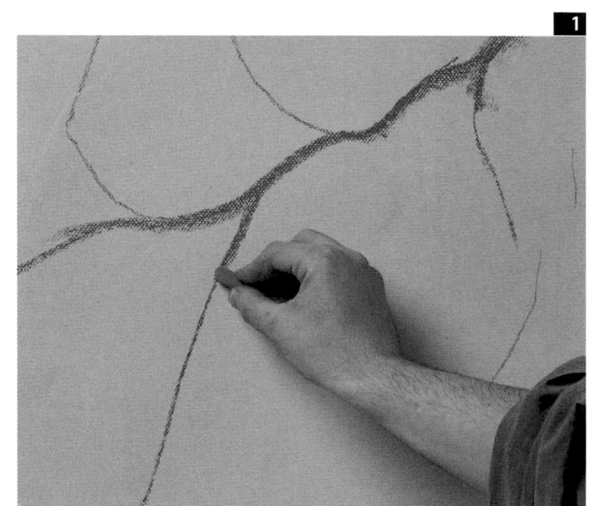

1

1 El inicio del dibujo es tan sencillo como dibujar una rama en diagonal. Debemos abordar el dibujo con trazo grueso para que oriente el resto de las manchas. No hay esquema previo: la espontaneidad del trazo y la mancha deben guiar todo el proceso de dibujo.

2 En primer lugar, repartimos las manchas de color rojo. El tamaño de éstas debe ser similar, para que parezca que todas las hojas ocupan un mismo plano en la composición. Repartiremos las manchas de modo lógico, según la distribución de las hojas a lo largo de las ramas.

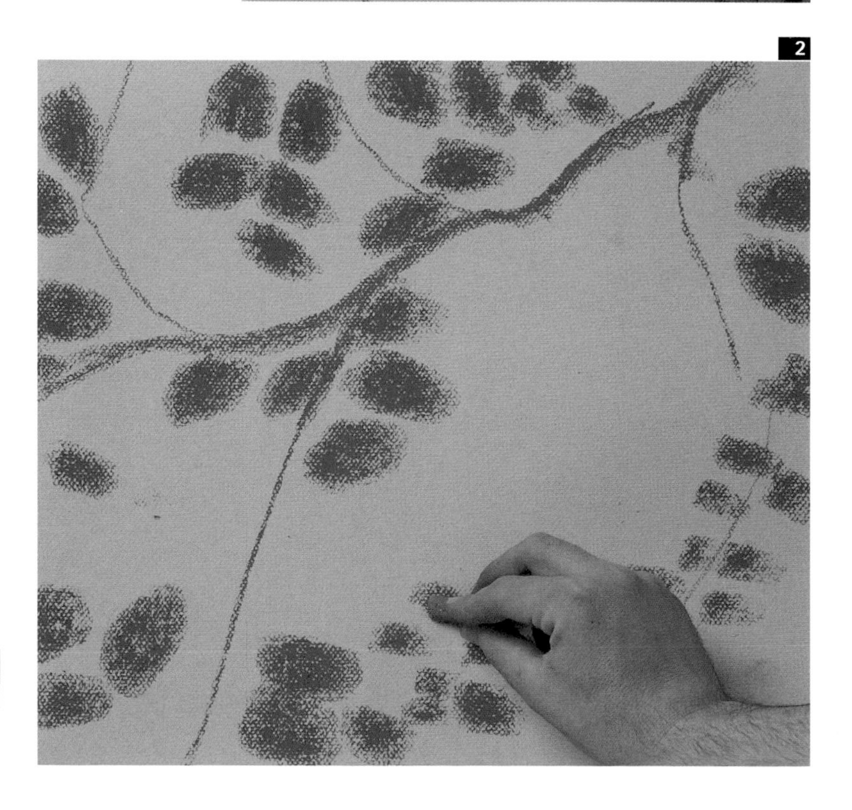

2

TÉCNICAS UTILIZADAS

◆ Color directo ◆

EL ORDEN DEL COLOREADO
En este proceso no es obligatorio seguir un orden preciso en el uso de los pasteles, pero conviene distribuir todas o casi todas las manchas de un mismo color antes de pasar al siguiente tono. Hay que calcular aproximadamente el espacio que cada grupo de manchas ocupará y no intentar superponer demasiados colores sobre una misma zona, ya que el tono resultante podría quedar enturbiado por el exceso de insistencia.

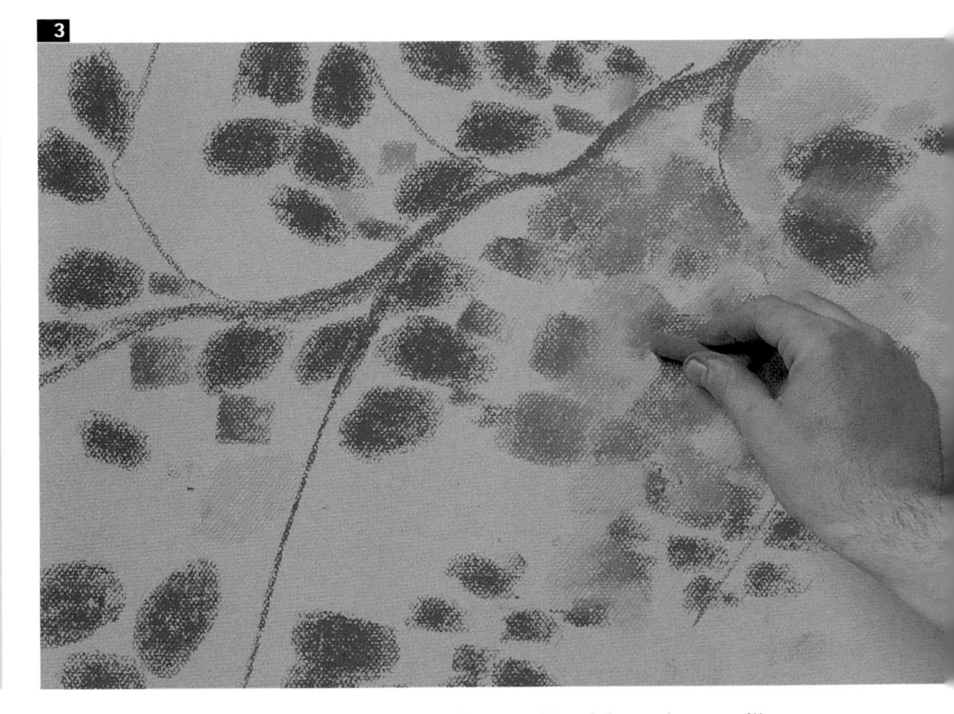

3 Después, aplicamos las manchas ocres y las amarillas. Primero las amarillas, dispuestas mucho más juntas que las hojas de color rojo. El ocre permite matizar los tonos y crear nuevas tonalidades amarillentas. En ningún caso hay que difuminar o mezclar el color con los dedos.

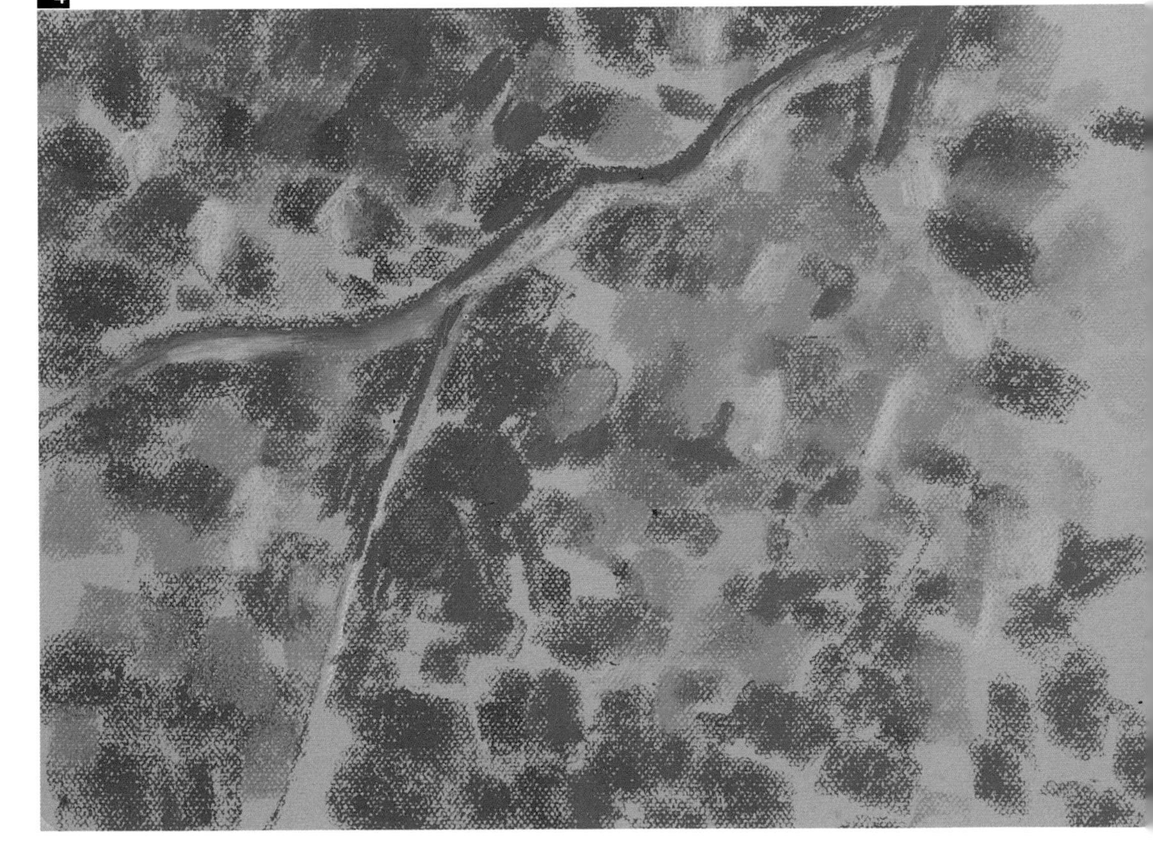

4 Tras insistir en las aplicaciones, la acumulación de manchas logra dar la sensación de un follaje espeso. Las tonalidades cálidas hacen que las zonas en que el gris de fondo es visible aparezcan como una sugerencia del cielo.

Paisaje bajo un cielo azul

De nuevo nos encontramos ante un tema muy luminoso recortado contra un cielo perfectamente azul. La blancura, en este caso, corresponde a las montañas. Ya sabemos cómo se pueden resolver las luminosidades de este tipo: utilizando el color del papel como tono de contraste; en este aspecto, el presente proceso aplica el mismo concepto que el empleado páginas atrás para elaborar la ermita, con la diferencia de que en este caso el procedimiento que se utiliza es el color directo. Pero en el ejercicio anterior ya vimos cuáles son los procesos de esta técnica, por lo tanto, el comentario de la siguiente secuencia de imágenes tendrá para nosotros un tono familiar.

◆

El fondo de color es de gran ayuda siempre que se trate de un tema basado en contrastes fuertes.

◆

MATERIAL

- Barra de carboncillo
- Lápiz de carbón
- Barra de creta blanca
- Gama completa de pasteles
- Papel Canson color azul

1

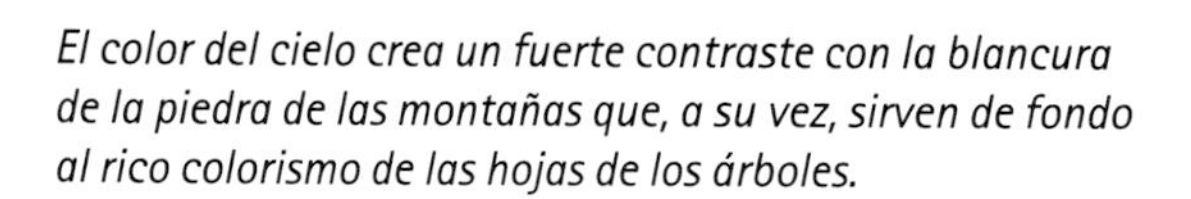

El color del cielo crea un fuerte contraste con la blancura de la piedra de las montañas que, a su vez, sirven de fondo al rico colorismo de las hojas de los árboles.

2

1 El dibujo previo, que no necesita un encaje especial, tiene que ser muy sencillo para que no condicione las posteriores aplicaciones de color: una banda diagonal en la que se acomodan las curvas de las montañas y algunas indicaciones a base de trazos sueltos para situar el árbol que cierra la composición a la izquierda.

2 Con la barra de creta blanca, se acumulan manchas en los lugares donde más destaca el blanco de la roca de los montes. Todas estas manchas están destinadas a ser difuminadas más adelante, por lo que no es necesario intentar definir los volúmenes con ellas.

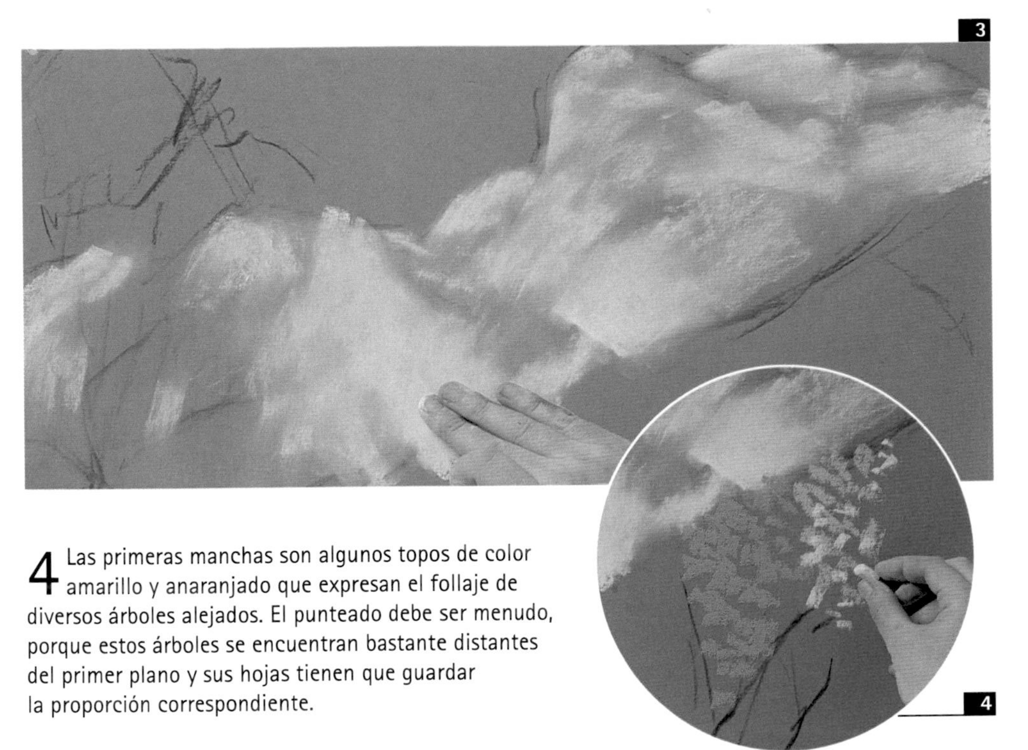

3 Como podemos comprobar, los difuminados de las manchas de creta blanca crean por sí mismos los volúmenes de los picos montañosos. Es inútil intentar reproducir exactamente ese volumen, lo lógico es sintetizar el relieve general de modo que la apariencia conjunta sea convincente.

4 Las primeras manchas son algunos topos de color amarillo y anaranjado que expresan el follaje de diversos árboles alejados. El punteado debe ser menudo, porque estos árboles se encuentran bastante distantes del primer plano y sus hojas tienen que guardar la proporción correspondiente.

5 En esta imagen podemos apreciar claramente cómo el simple hecho de que algunas manchas sean de mayor tamaño que otras hace que, visualmente, parezcan más próximas. Es importante controlar bien la extensión de cada grupo de manchas para que coincida aproximadamente con la forma de la copa de los árboles.

6 El conjunto de la composición ya está suficientemente planteado en todas sus partes. Es el momento de concretar un poco más la forma y el relieve de las montañas mediante algunas aplicaciones de carboncillo que interrumpan los difuminados blancos para incluir zonas oscuras.

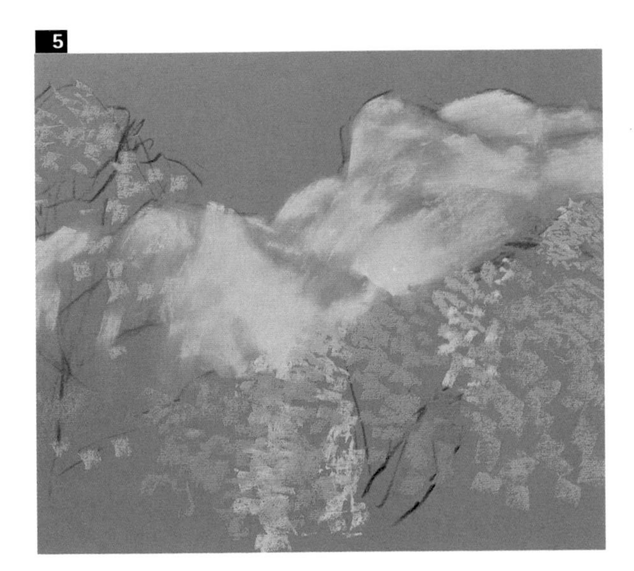

TÉCNICAS UTILIZADAS

- Color directo
- Sombreados
- Difuminados

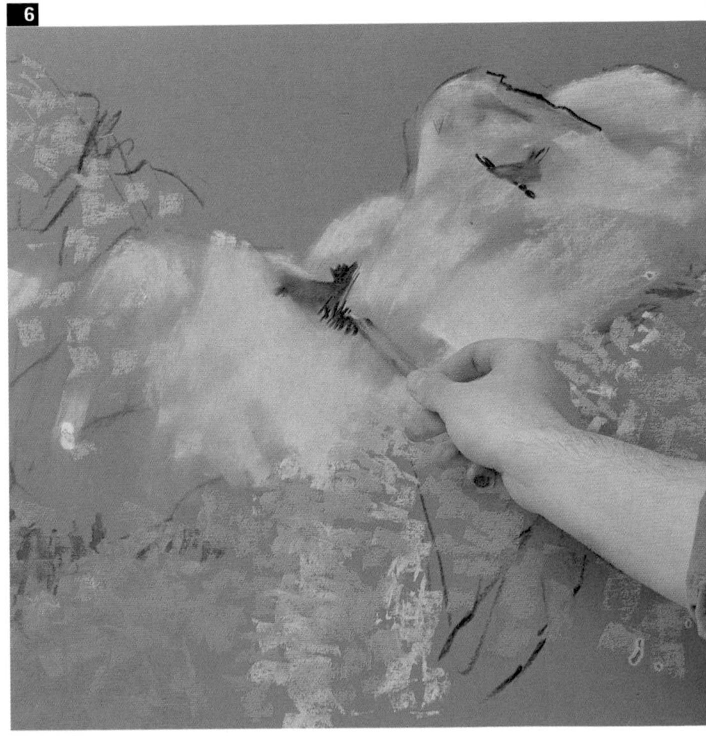

7

8

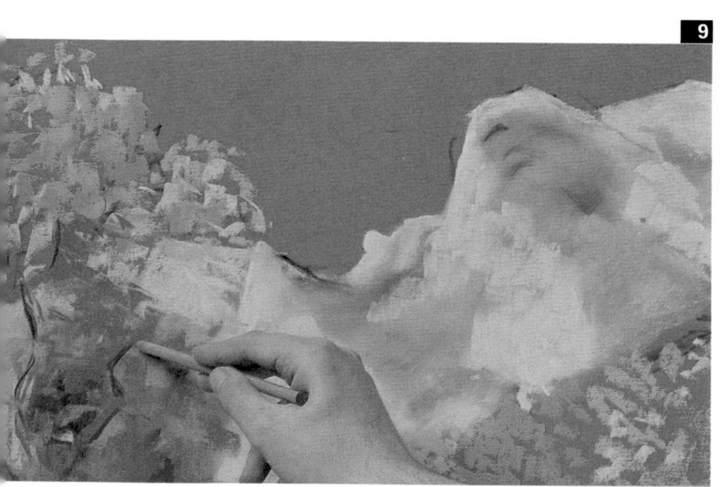

9

7 Tras difuminar los anteriores trazos de carboncillo, ahora la forma de las montañas está bastante más matizada, aunque todavía el efecto es algo borroso. Hay que destacar que en las sombras más claras, el azul del fondo que la creta no alcanza a cubrir contribuye a crear el tono y enriquecer el modelado.

8 De nuevo en el follaje, ahora hemos cubierto los vacíos con un tono morado que se interpone entre el árbol de la izquierda y las montañas. Contra este color podremos destacar las manchas cálidas del primer plano.

9 La acumulación de colores ha desdibujado la forma del árbol confundiéndola con el fondo. Mediante el lápiz de carbón, podemos restituir fácilmente el dibujo del tronco trazando sobre las manchas de pastel.

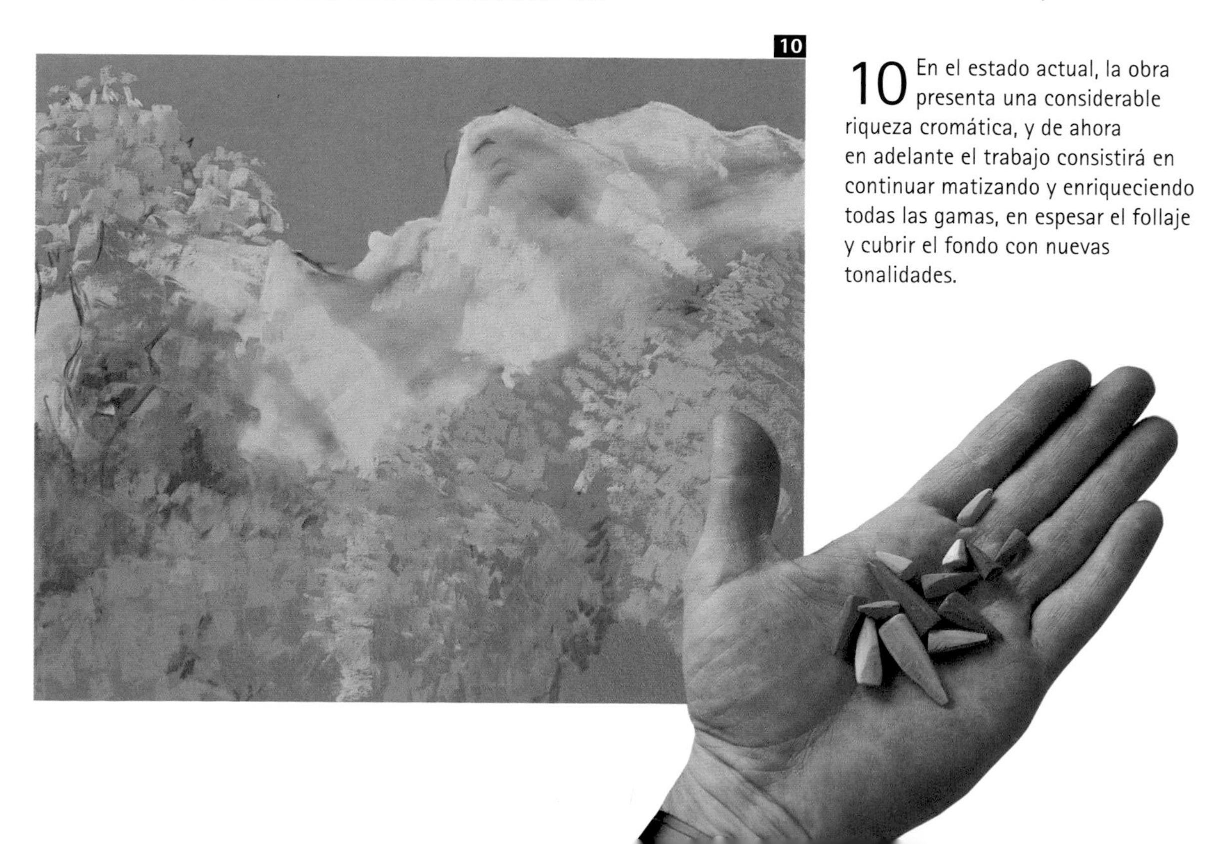

10

10 En el estado actual, la obra presenta una considerable riqueza cromática, y de ahora en adelante el trabajo consistirá en continuar matizando y enriqueciendo todas las gamas, en espesar el follaje y cubrir el fondo con nuevas tonalidades.

11 El proceso de acumulación de colores se enriquece superponiendo tonos oscuros sobre los claros anteriores. Trabajando de esta manera, conseguiremos que las masas de hojas parezcan estar unas delante de otras, en vez de en un mismo plano.

12 Sólo resta retocar las montañas, realzar su volumen, y podremos dar por concluida esta obra. Toda la masa arbórea ha sido poco a poco definida sin la intervención de difuminados ni fundidos.

13 Cuanto más se concreta la forma rocosa de las montañas, con mayor claridad aparece el conjunto de la composición, viéndose de modo distinto el contraste entre el término de los árboles y el plano de la cadena montañosa.

EL COLOR Y LAS SOMBRAS

En esta obra los colores no dejan lugar a las sombras, pero sigue existiendo una relación de claroscuro muy evidente: colores claros en contraste con tonos oscuros. Esta relación se puede interpretar de la misma manera explicada en las páginas en que hablamos del sombreado. En este caso, los valores no son una gama de grises sino una verdadera gama de color y cada tono da su propio grado de luminosidad al conjunto.

LA RIQUEZA CROMÁTICA

Llega un momento en el que la obra alcanza un punto de saturación de color. Es entonces cuando la gama cromática ya no puede enriquecerse más y toda nueva aplicación ensucia las entonaciones más que ampliarlas. Es el momento de dar la obra por acabada porque toda insistencia perjudicará el resultado final.

14

14 Para definir los sombreados de las montañas utilizaremos el carboncillo, la creta blanca y algunas aplicaciones muy ligeras de pastel color siena. Este color matiza los grises y les da un ligero tono terroso que rompe con la excesiva frialdad del blanco y el negro combinados.

15 Finalmente, definiremos los complicados volúmenes de los picos. Donde antes dominaban los difuminados imprecisos, ahora imponemos una representación mucho más concreta de las laderas, los salientes, las vaguadas y también de la escasa vegetación repartida entre las cumbres.

15

Otros libros de la editorial sobre dibujo

Si desea profundizar en el dibujo artístico, en los siguientes títulos de **Parramón Ediciones** podrá encontrar todo tipo de aplicaciones prácticas de las técnicas estudiadas en este libro:

Colecciones y títulos

Aprender haciendo:
- *Así se pinta con lápices de colores*
- *Cómo dibujar al carbón, sanguina y cretas*
- *Cómo dibujar*

Grandes libros:
- *El gran libro del dibujo*

Dibujar y pintar fácil:
- *Temas básicos de dibujo*
- *Estudios académicos de figura*

Técnica y práctica en dibujo y pintura:
- *Las bases del dibujo artístico*

Manuales Parramón:
- *Dibujo*

Guías Parramón para empezar a pintar:
- *Dibujo*

Paso a paso:
- *Dibujando y pintando apuntes*
- *Pintando temas con lápices de colores*

Ejercicios Parramón:
- *Dibujo*
- *Lápices de colores*

Todo sobre:
- *Todo sobre la técnica del dibujo*